4주 완성 스케줄표

공부한 날	주	일	학습 내용
월 일	1주	도입	이번에 배울 내용을 알아볼까요?
		1일	(세 자리 수)+(세 자리 수)(1)
월 일		2일	(세 자리 수)+(세 자리 수)(2)
월 일		3일	(세 자리 수)+(세 자리 수)(3)
월 일		4일	(세 자리 수)−(세 자리 수)(1)
월 일		5일	(세 자리 수)−(세 자리 수)(2)
		평가/특강	누구나 100점 맞는 테스트/창의·융합·코딩
월 일	2주	도입	이번에 배울 내용을 알아볼까요?
		1일	똑같이 나누기
월 일		2일	곱셈과 나눗셈의 관계
월 일		3일	나눗셈의 몫을 곱셈식(곱셈구구)으로 구하기
월 일		4일	(몇십)×(몇)
월 일		5일	올림이 없는 (몇십몇)×(몇)
		평가/특강	누구나 100점 맞는 테스트/창의·융합·코딩
월 일	3주	도입	이번에 배울 내용을 알아볼까요?
		1일	올림이 1번 있는 (몇십몇)×(몇)
월 일		2일	올림이 2번 있는 (몇십몇)×(몇)
월 일		3일	길이 알아보기
월 일		4일	시간 알아보기
월 일		5일	시간의 합과 차
		평가/특강	누구나 100점 맞는 테스트/창의·융합·코딩
월 일	4주	도입	이번에 배울 내용을 알아볼까요?
		1일	분수 알아보기
월 일		2일	분수의 크기 비교하기
월 일		3일	소수 알아보기(1)
월 일		4일	소수 알아보기(2)
월 일		5일	소수의 크기 비교하기
		평가/특강	누구나 100점 맞는 테스트/창의·융합·코딩

공부한 날을 표시하고 하루하루 학습 내용을 살펴보세요.

Chunjae
Maketh
Chunjae

기획총괄 박금옥
편집개발 지유경, 정소현, 조선영, 원희정, 이정선, 최윤석, 김선주, 박선민
디자인총괄 김희정
표지디자인 윤순미, 안채리
내지디자인 박희춘, 이혜진
제작 황성진, 조규영

발행일 2021년 2월 1일 초판 2021년 2월 1일 1쇄
발행인 (주)천재교육
주소 서울시 금천구 가산로9길 54
신고번호 제2001-000018호
고객센터 1577-0902

※ 정답 분실 시에는 천재교육 홈페이지에서 내려받으세요.
※ KC 마크는 이 제품이 공통안전기준에 적합하였음을 의미합니다.
※ 주의
책 모서리에 다칠 수 있으니 주의하시기 바랍니다.
부주의로 인한 사고의 경우 책임지지 않습니다.
8세 미만의 어린이는 부모님의 관리가 필요합니다.

똑 똑 한

하루 계산

3A

기운과 끈기는
모든 것을 이겨낸다.
- 벤자민 플랭크린 -

주별 Contents

1주 덧셈과 뺄셈
2주 나눗셈, 곱셈 (1)
3주 곱셈 (2), 길이와 시간
4주 분수와 소수

똑똑한 하루 계산 이 책의 특징

도입 이번에 배울 내용을 알아볼까요?

이번 주에 공부할 내용을 만화로 재미있게!

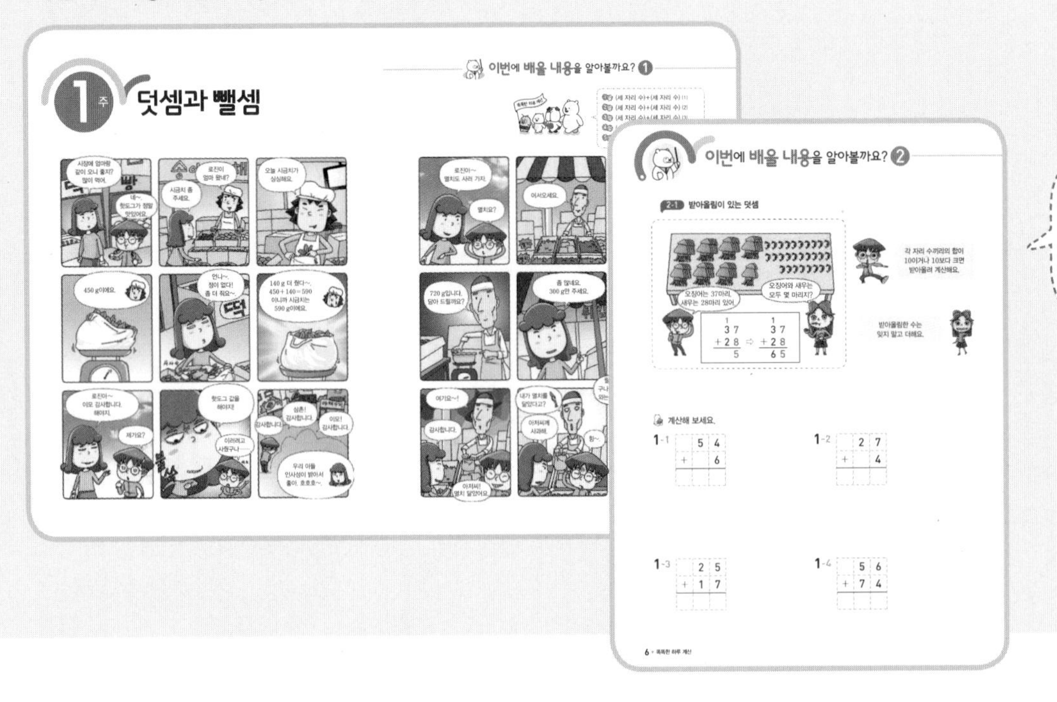

반드시 알아야 할 개념을 쉽고 재미있는 만화로 확인!

개념 완성 개념 · 원리 확인

쉬운 계산 원리를 만화로 쏙쏙!

계산 반복 훈련

계산 원리와 방법이 한눈에 쏙쏙!

1일 똑같이 나누기 ①

똑똑한 계산 연습

똑똑한 하루 계산법

• 나눗셈식 알아보기

예 $8 \div 2$의 계산

나눗셈식 $8 \div 2 = 4$ ← 몫

나누어지는 수 나누는 수

읽기 8 나누기 2는 4와 같습니다.

OX 퀴즈

나눗셈식을 바르게 읽었으면 ○에, 틀리게 읽었으면 X에 ○표 하세요.

$6 \div 3 = 2$

⇨ 6 나누기 2는 3과 같습니다.

○ X

정답 X에 ○표

기초 집중 연습

다양한 형태의 계산 문제를 **반복**하여 완벽하게 익히기!

생활 속에서 필요한 계산 연습!

문장 읽고 계산식을 세우면서 문장제 문제도 연습!

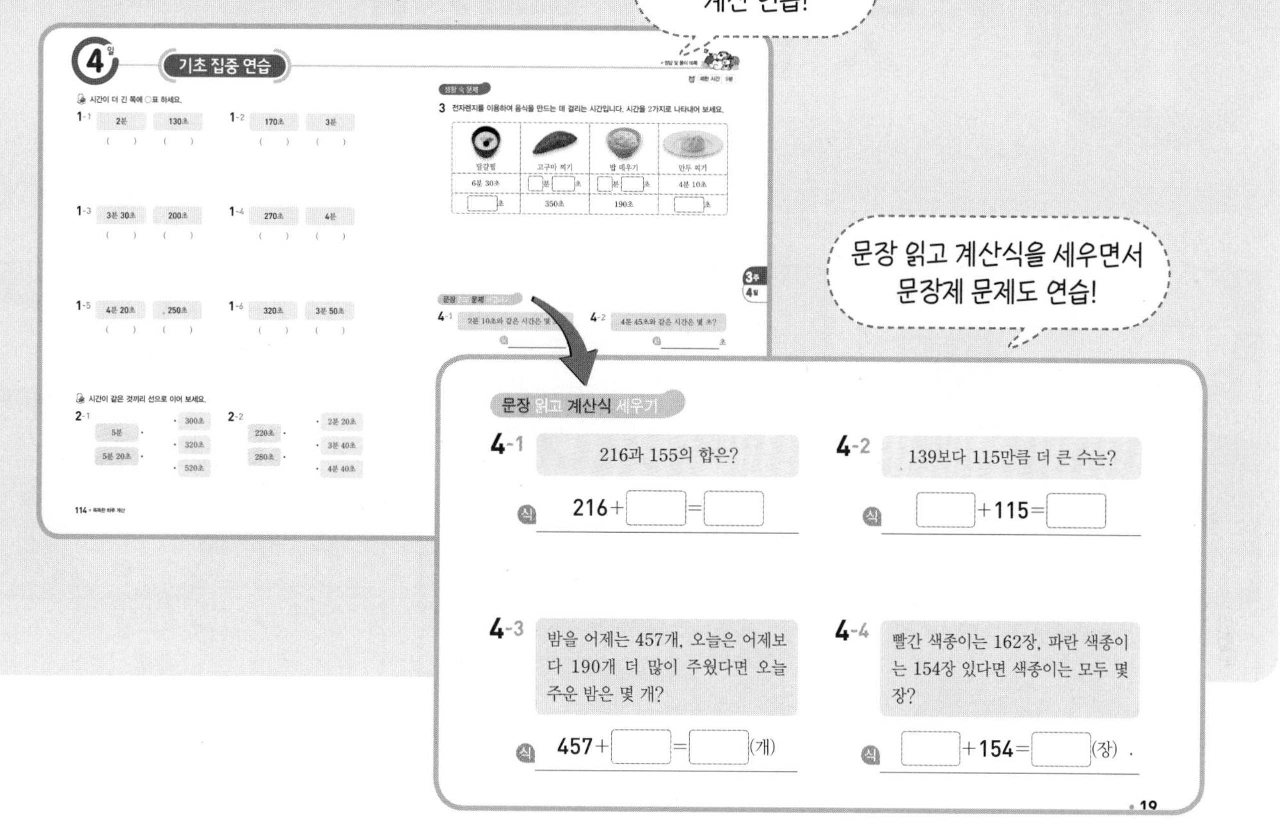

평가 + 창의·융합·코딩

한 주에 **배운 내용**을 **테스트**로 마무리!

빠르고 정확하게 풀어 보자!

4차 산업 혁명 시대에 알맞은 최신 트렌드 유형

요즘 수학 문제인 **창의·융합·코딩** 문제 수록

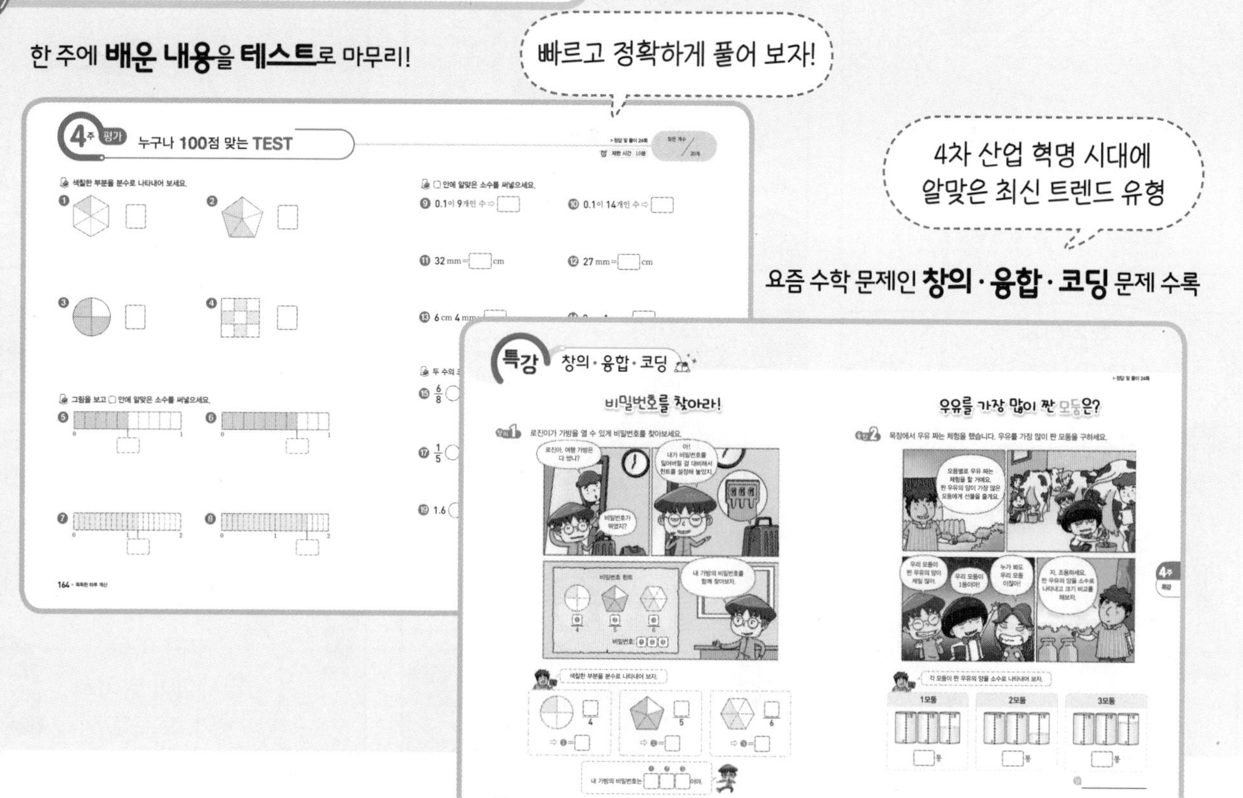

1주 덧셈과 뺄셈

시장에 엄마랑
같이 오니 좋지?
많이 먹어.
네~.
핫도그가 정말
맛있어요.
떡
빵

로진이
엄마 왔네?
시금치 좀
주세요.

오늘 시금치가
싱싱해요.

450 g이에요.

언니~.
정이 없다!
좀 더 줘요~.
떡
사사삭

140 g 더 줬다~.
450+140=590
이니까 시금치는
590 g이에요.

로진아~
이모 감사합니다.
해야지.
제가요?

핫도그 값을
해야지!
이러려고
사줬구나…….
불쑥

정육점
떡
야채가게
감사합니다.
삼촌!
감사합니다.
이모!
감사합니다.
우리 아들
인사성이 밝아서
좋아. 호호호~.

이번에 배울 내용을 알아볼까요? 1

1일 (세 자리 수)+(세 자리 수) (1)
2일 (세 자리 수)+(세 자리 수) (2)
3일 (세 자리 수)+(세 자리 수) (3)
4일 (세 자리 수)−(세 자리 수) (1)
5일 (세 자리 수)−(세 자리 수) (2)

이번에 배울 내용을 알아볼까요? 2

2-1 받아올림이 있는 덧셈

각 자리 수끼리의 합이
10이거나 10보다 크면
받아올려 계산해요.

받아올림한 수는
잊지 말고 더해요.

계산해 보세요.

1-1

	5	4
+		6

1-2

	2	7
+		4

1-3

	2	5
+	1	7

1-4

	5	6
+	7	4

2-1 받아내림이 있는 뺄셈

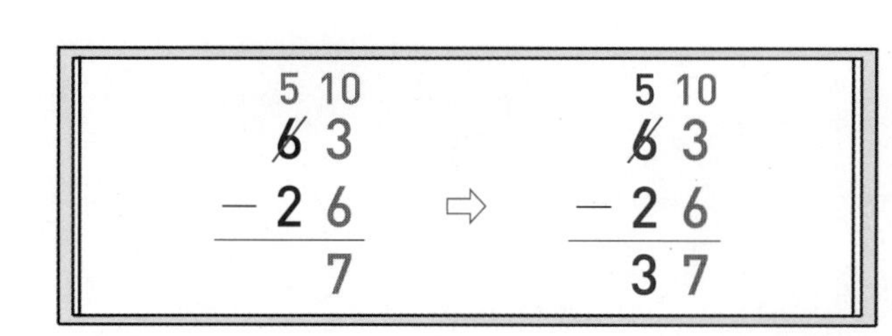

같은 자리 수끼리 뺄 수 없을 때에는 받아내려 계산해요.

받아내림한 것을 정확히 표시하여 실수하지 않도록 해요.

계산해 보세요.

2-1

	4	4
−		7

2-2

	3	2
−		6

2-3

	6	5
−	1	9

2-4

	8	2
−	2	4

(세 자리 수)+(세 자리 수) ①

방법 1

$400+100=500$

$50+30=80$

$2+7=9$

⇨ $500+80+9=589$

방법 2

$2+7=9$

$50+30=80$

$400+100=500$

⇨ $9+80+500=589$

똑똑한 하루 계산법

• 여러 가지 방법으로 계산하기

예 $452+137$의 계산

방법 1 백의 자리부터 더하여 계산하기

$400+100=500$, $50+30=80$,
$2+7=9$

⇨ $500+80+9=589$

방법 2 일의 자리부터 더하여 계산하기

$2+7=9$, $50+30=80$,
$400+100=500$

⇨ $9+80+500=589$

○✕ 퀴즈

계산이 옳으면 ○에, 틀리면 ✕에 ○표 하세요.

$516+321$

$500+300=800$

$10+20=30$

$6+1=7$

⇨ $800+30+7=837$

정답 ○에 ○표

똑똑한 계산 연습

제한 시간 3분

□ 안에 알맞은 수를 써넣으세요.

① $317+542$

$300+500=800$

$10+40=\square$

$7+2=9$

⇨ $800+\square+9=\square$

② $148+221$

$8+1=9$

$40+20=60$

$100+200=\square$

⇨ $9+60+\square=\square$

③ $241+153$

$200+100=\square$

$40+50=90$

$1+3=\square$

⇨ $\square+90+\square=\square$

④ $364+312$

$4+2=6$

$60+10=\square$

$300+300=\square$

⇨ $6+\square+\square=\square$

⑤ $226+343$

$200+300=\square$

$20+40=\square$

$6+3=9$

⇨ $\square+\square+9=\square$

⑥ $713+145$

$3+5=\square$

$10+40=50$

$700+100=\square$

⇨ $\square+50+\square=\square$

(세 자리 수)+(세 자리 수) ②

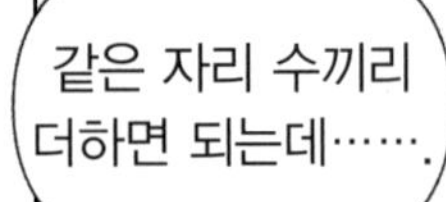

$$\begin{array}{r} 452 \\ +\ 137 \\ \hline 589 \end{array}$$

똑똑한 하루 계산법

• **세로셈으로 계산하기**

㉮ 452+137의 계산

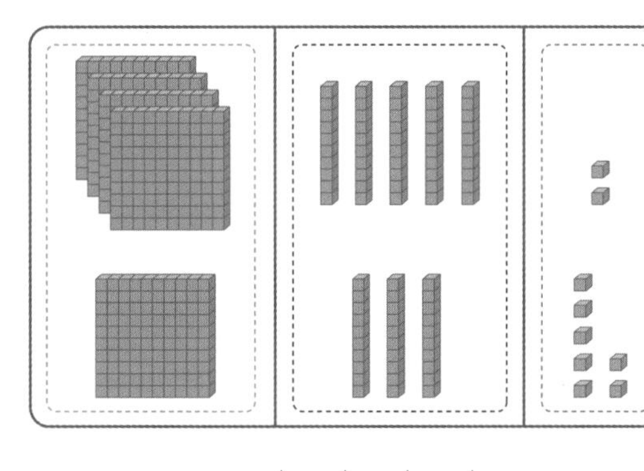

$$\begin{array}{r} 452 \\ +\ 137 \\ \hline 589 \end{array}$$

같은 자리 수끼리 더해요.

OX 퀴즈

$$\begin{array}{r} 264 \\ +\ 122 \\ \hline 486 \end{array}$$

❶ 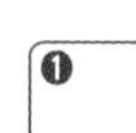

$$\begin{array}{r} 363 \\ +\ 425 \\ \hline 788 \end{array}$$

❷ 

정답 ❶ × ❷ ○

똑똑한 계산 연습

▶정답 및 풀이 1쪽

제한 시간 3분

계산해 보세요.

1
	4	5	1
+	1	0	3

2
	2	7	4
+	3	1	0

3
	1	2	6
+	1	6	3

4
	3	2	4
+	1	5	2

5
	3	2	7
+	6	1	1

6
	2	5	4
+	5	1	3

7
	5	0	2
+	2	3	7

8
	4	3	3
+	4	2	5

9
	1	7	0
+	2	2	2

10
	2	4	7
+	4	3	1

기초 집중 연습

▢ 안에 알맞은 수를 써넣으세요.

1-1 342+117

42+17=59

300+100=▢

⇨ 59+▢=▢

1-2 272+325

72+25=▢

200+300=500

⇨ ▢+500=▢

1-3 425+361

400+300=700

20+60=▢

5+1=▢

⇨ 700+▢+▢=▢

1-4 232+353

200+300=▢

30+50=80

2+3=▢

⇨ ▢+80+▢=▢

빈칸에 두 수의 합을 써넣으세요.

2-1

323	156

2-2

403	251

2-3

134	552

2-4

615	143

제한 시간 9분

생활 속 계산

 나무의 높이의 합을 구하세요.

3-1

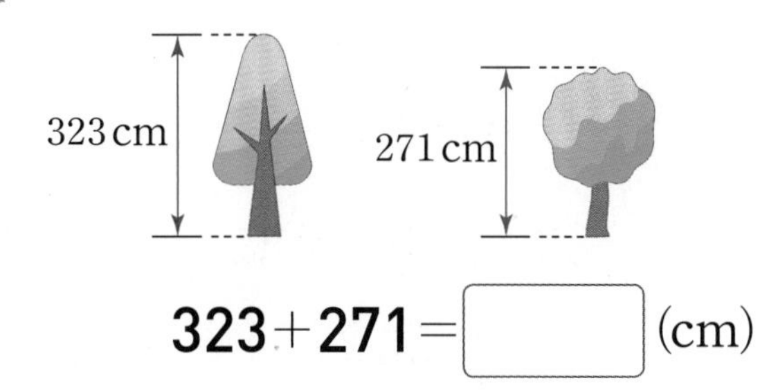

323+271=□(cm)

3-2

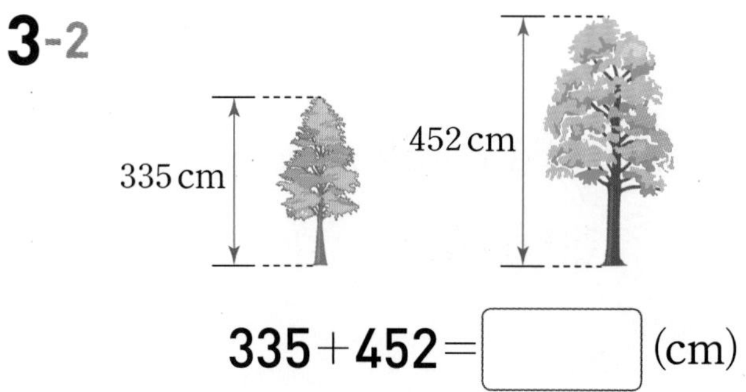

335+452=□(cm)

3-3

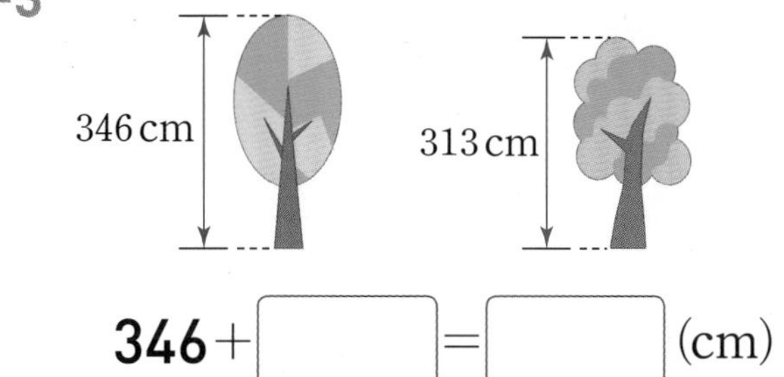

346+□=□(cm)

3-4

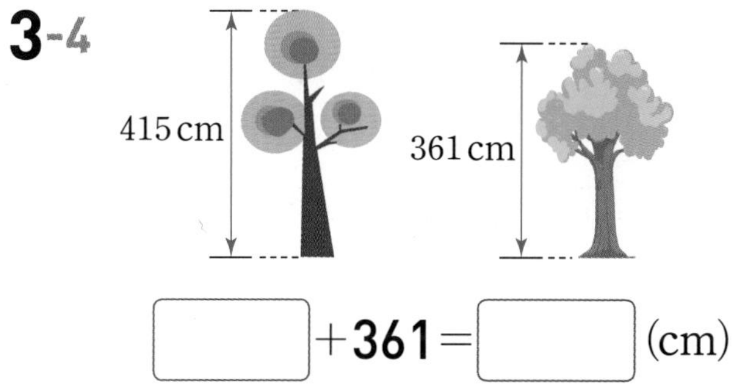

□+361=□(cm)

문장 읽고 계산식 세우기

4-1 327보다 112만큼 더 큰 수는?

식 327+□=□

4-2 723과 142의 합은?

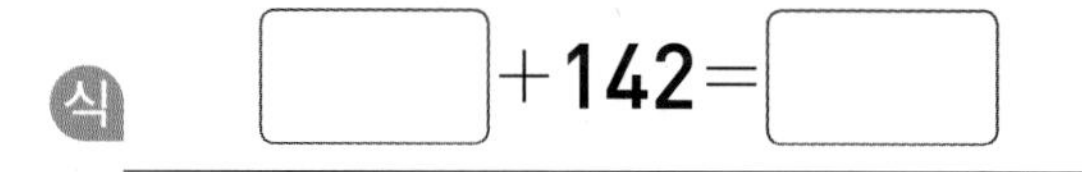

식 □+142=□

4-3 동화책은 216권, 위인전은 동화책보다 121권 더 많다면 위인전은 몇 권?

식 216+□=□(권)

4-4 야구장에 온 여자는 231명, 남자는 418명일 때 야구장에 온 사람은 모두 몇 명?

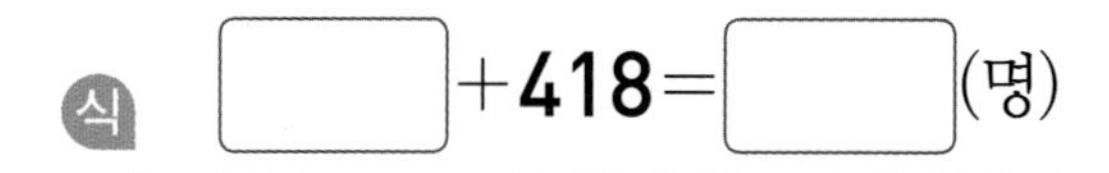

식 □+418=□(명)

1주 1일

(세 자리 수)+(세 자리 수) ③

일의 자리 계산에서 9+4=13이므로 10을 십의 자리로 받아올려 계산하면 353이에요.

$$\begin{array}{r} {}^{1} \\ 139 \\ +\,214 \\ \hline 353 \end{array}$$

똑똑한 하루 계산법

- **일의 자리에서 받아올림이 한 번 있는 (세 자리 수)+(세 자리 수)**

㉠ 139+214의 계산

9+4=13 → 1+3+1=5 → 1+2=3

$$\begin{array}{r} {}^{1} \\ 139 \\ +\,214 \\ \hline 3 \end{array} \Rightarrow \begin{array}{r} {}^{1} \\ 139 \\ +\,214 \\ \hline 53 \end{array} \Rightarrow \begin{array}{r} {}^{1} \\ 139 \\ +\,214 \\ \hline 353 \end{array}$$

일의 자리 수끼리의 합이 10이거나 10보다 크면 십의 자리로 받아올려 계산해요.

똑똑한 계산 연습

▶정답 및 풀이 2쪽

제한 시간 3분

계산해 보세요.

①

	2	2	8
+	1	1	4

②

	5	2	9
+	3	5	4

③

	3	1	9
+	4	3	2

④

	8	2	6
+	1	2	7

⑤

	3	4	2
+	2	4	8

⑥

	5	6	6
+	2	1	9

⑦

	3	1	5
+	1	5	8

⑧

	2	6	4
+	6	2	7

⑨

	1	4	2
+	5	2	9

⑩

	2	5	9
+	4	3	9

2일 (세 자리 수)+(세 자리 수) ④

$$\begin{array}{r} {}^{1} \\ 2\,7\,4 \\ +\;5\,6\,3 \\ \hline 8\,3\,7 \end{array}$$

똑똑한 하루 계산법

• 십의 자리에서 받아올림이 한 번 있는 (세 자리 수) + (세 자리 수)

예 274+563의 계산

4+3=7

$$\begin{array}{r|c|c|c} & 2 & 7 & 4 \\ + & 5 & 6 & 3 \\ \hline & & & 7 \end{array}$$

⇨ 7+6=13

$$\begin{array}{r|c|c|c} & 1 & & \\ & 2 & 7 & 4 \\ + & 5 & 6 & 3 \\ \hline & & 3 & 7 \end{array}$$

⇨ 1+2+5=8

$$\begin{array}{r|c|c|c} & 1 & & \\ & 2 & 7 & 4 \\ + & 5 & 6 & 3 \\ \hline & 8 & 3 & 7 \end{array}$$

십의 자리에서 받아올림이 있으면
백의 자리로 받아올려 계산해요.

똑똑한 계산 연습

제한 시간 3분

계산해 보세요.

1

	2	2	3
+	3	9	4

2

	4	4	6
+	2	9	3

3

	2	7	3
+	2	8	1

4

	2	3	4
+	5	9	4

5

	1	5	2
+	3	6	3

6

	5	6	4
+	2	8	2

7

	2	5	5
+	1	8	2

8

	3	7	4
+	4	5	5

9

	3	7	3
+	5	7	5

10

	3	3	1
+	3	9	4

2 일

기초 집중 연습

 계산해 보세요.

1-1 456+135=☐

1-2 377+282=☐

1-3 327+216=☐

1-4 471+431=☐

 빈 곳에 알맞은 수를 써넣으세요.

2-1 132 → +149 → ☐

2-2 318 → +258 → ☐

2-3 492 → +134 → ☐

2-4 485 → +453 → ☐

제한 시간 9분

생활 속 계산

집에서 장소를 거쳐 학교까지의 거리를 구하세요.

3-1

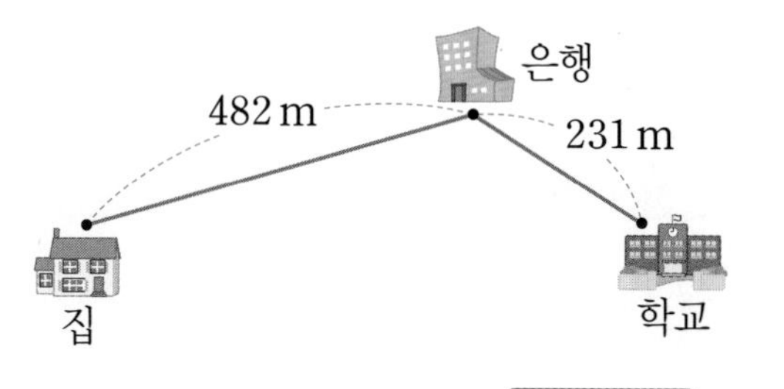

482+231=☐(m)

3-2

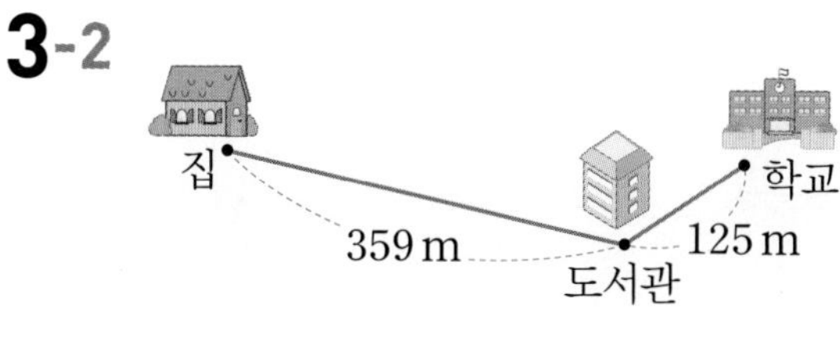

359+☐=☐(m)

3-3

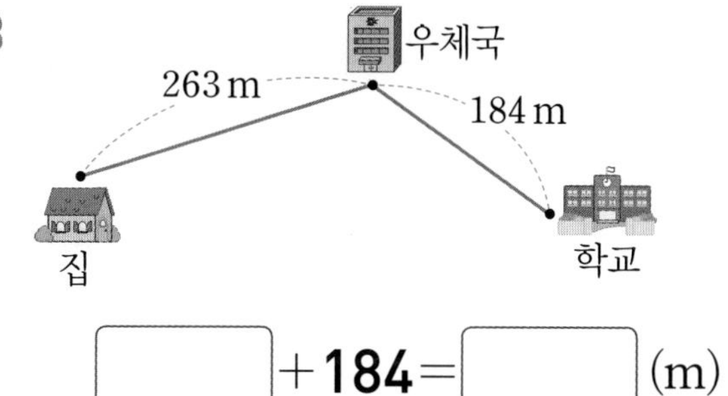

☐+184=☐(m)

3-4

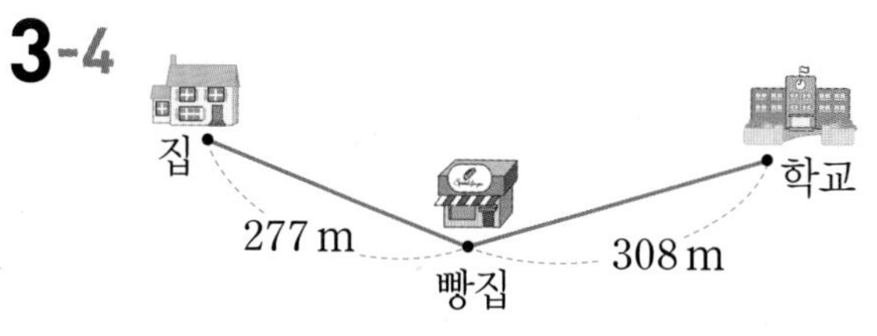

☐+☐=☐(m)

문장 읽고 계산식 세우기

4-1 216과 155의 합은?

식 216+☐=☐

4-2 139보다 115만큼 더 큰 수는?

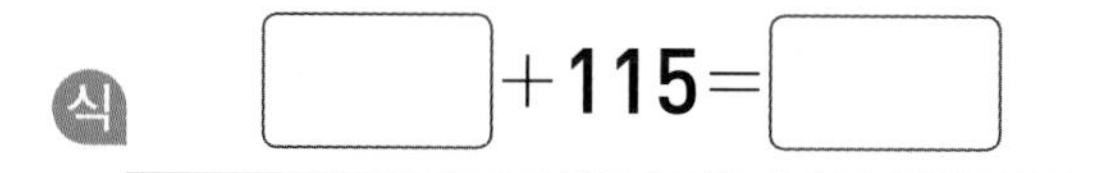

식 ☐+115=☐

4-3 밤을 어제는 457개, 오늘은 어제보다 190개 더 많이 주웠다면 오늘 주운 밤은 몇 개?

식 457+☐=☐(개)

4-4 빨간 색종이는 162장, 파란 색종이는 154장 있다면 색종이는 모두 몇 장?

식 ☐+154=☐(장)

3일 (세 자리 수)+(세 자리 수) ⑤

$$\begin{array}{r} {\scriptstyle 1\ 1\ \ } \\ 5\ 7\ 5 \\ +\ 1\ 4\ 7 \\ \hline 7\ 2\ 2 \end{array}$$

똑똑한 하루 계산법

• **받아올림이 두 번 있는 (세 자리 수)+(세 자리 수)**

㉠ 575+147의 계산

$5+7=12$

$$\begin{array}{r} {\scriptstyle 1\ \ } \\ 5\ 7\ 5 \\ +\ 1\ 4\ 7 \\ \hline 2 \end{array}$$

⇨ $1+7+4=12$

$$\begin{array}{r} {\scriptstyle 1\ 1\ \ } \\ 5\ 7\ 5 \\ +\ 1\ 4\ 7 \\ \hline 2\ 2 \end{array}$$

⇨ $1+5+1=7$

$$\begin{array}{r} {\scriptstyle 1\ 1\ \ } \\ 5\ 7\ 5 \\ +\ 1\ 4\ 7 \\ \hline 7\ 2\ 2 \end{array}$$

일, 십, 백의 자리 순서로 더해요.

각 자리 수끼리의 합이 10이거나 10보다 크면 받아올려 계산해요.

똑똑한 계산 연습

▶정답 및 풀이 3쪽

제한 시간 3분

계산해 보세요.

①

	3	6	5
+	2	8	8

②

	5	9	6
+	2	4	5

③

	3	7	2
+	1	6	9

④

	7	6	7
+	1	8	3

⑤

	5	9	8
+	1	4	4

⑥

	2	5	8
+	4	6	8

⑦

	2	4	7
+	3	6	8

⑧

	4	9	6
+	1	8	9

⑨

	1	8	5
+	3	3	6

⑩

	2	7	6
+	2	4	8

3일 (세 자리 수)+(세 자리 수) ⑥

똑똑한 하루 계산법

• **받아올림이 세 번 있는 (세 자리 수)+(세 자리 수)**

예 439+782의 계산

		1	
	4	3	9
+	7	8	2
			1

(9+2=11)

⇨

	1	1	
	4	3	9
+	7	8	2
		2	1

(1+3+8=12)

⇨

		1	1	
		4	3	9
+		7	8	2
	1	2	2	1

(1+4+7=12)

백의 자리 계산 1+4+7=12에서
2는 백의 자리에 1은 천의 자리에 써요.

받아올림에 주의하여
계산해요.

▶정답 및 풀이 3쪽

제한 시간 3분

계산해 보세요.

①

	8	2	5
+	7	8	7

②

	5	3	9
+	6	7	2

③

	4	7	6
+	8	3	6

④

	6	5	9
+	3	8	7

⑤

	4	9	4
+	6	5	9

⑥

	8	3	7
+	4	6	4

⑦

	8	8	7
+	8	3	5

⑧

	7	9	5
+	9	8	6

⑨

	9	4	2
+	5	7	8

⑩

	5	1	8
+	7	8	4

3일 기초 집중 연습

빈칸에 알맞은 수를 써넣으세요.

1-1 218 | +497 | ☐

1-2 653 | +298 | ☐

1-3 597 | +618 | ☐

1-4 465 | +959 | ☐

수직선을 보고 ☐ 안에 알맞은 수를 써넣으세요.

2-1

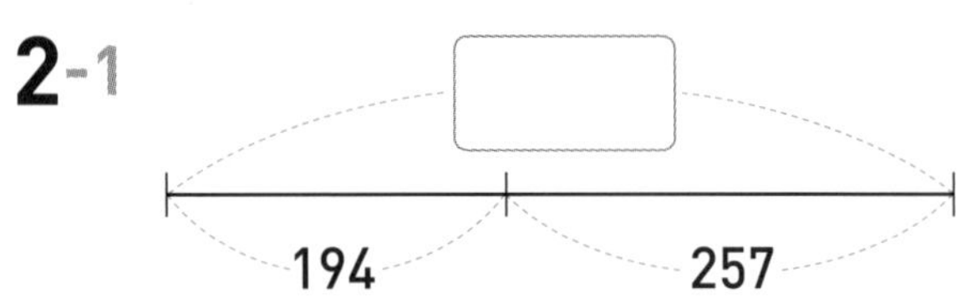

2-2

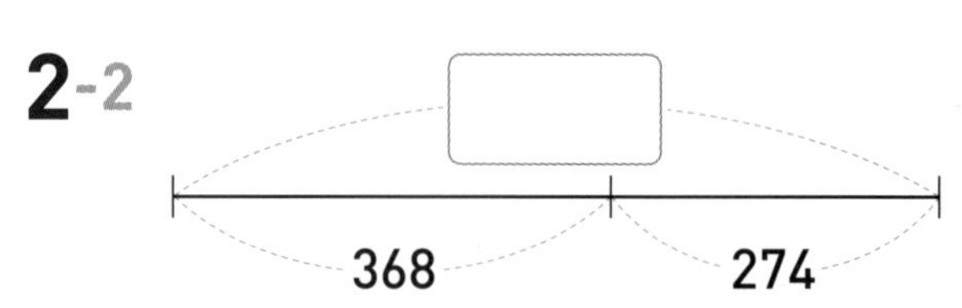

2-3

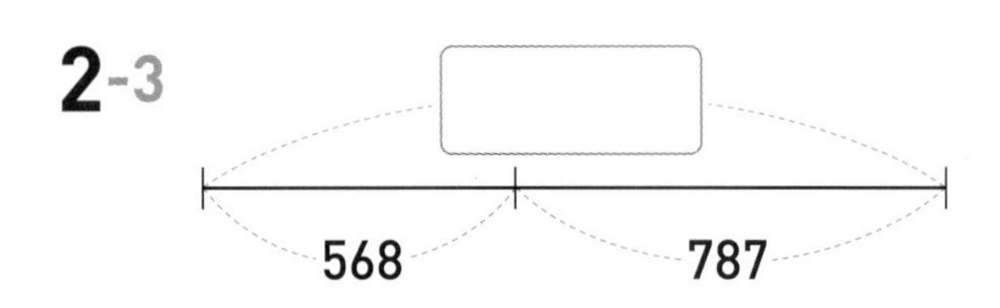

2-4

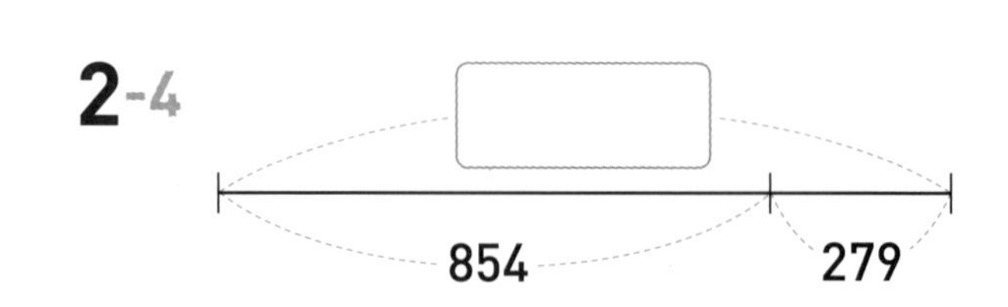

제한 시간 9분

생활 속 계산

농장에서 키우는 동물의 무게입니다. 동물의 무게의 합을 구하세요.

동물	젖소	돼지	말	타조	양
무게(kg)	465	247	679	176	195

3-1 젖소 + 돼지

⇨ 465+☐=☐(kg)

3-2 타조 + 양

⇨ ☐+195=☐(kg)

3-3 돼지 + 양=☐(kg)

3-4 젖소 + 말=☐(kg)

문장 읽고 계산식 세우기

4-1 복숭아는 699개, 사과는 복숭아보다 515개 더 많이 수확했다면 수확한 사과는 몇 개?

식 699+☐=☐(개)

4-2 비행기에 어른은 278명, 어린이는 어른보다 147명 더 많이 탔다면 비행기에 탄 어린이는 몇 명?

식 278+☐=☐(명)

4-3 놀이공원에 입장한 남자는 745명, 여자는 598명일 때 입장한 사람은 모두 몇 명?

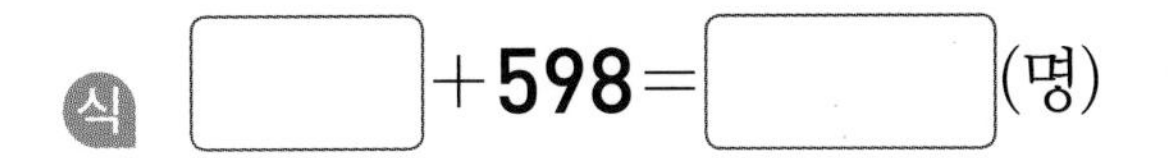

식 ☐+598=☐(명)

4-4 구슬을 수진이는 258개, 정우는 264개 가지고 있다면 두 사람이 가진 구슬은 모두 몇 개?

식 258+☐=☐(개)

4일 (세 자리 수)－(세 자리 수) ①

똑똑한 하루 계산법

• **여러 가지 방법으로 계산하기**

㉠ 438－225의 계산

방법 1 백의 자리부터 빼어 계산하기

400－200＝200, 30－20＝10,
8－5＝3
⇨ 200＋10＋3＝213

방법 2 일의 자리부터 빼어 계산하기

8－5＝3, 30－20＝10,
400－200＝200
⇨ 3＋10＋200＝213

○✕ 퀴즈

계산이 옳으면 ○에,
틀리면 ✕에 ○표 하세요.

289－124

9－4＝5
80－20＝60
200－100＝100
⇨ 5＋60＋100＝165

정답 ○에 ○표

똑똑한 계산 연습

▶정답 및 풀이 4쪽

제한 시간 3분

☐ 안에 알맞은 수를 써넣으세요.

1 548−323

- 500−300=200
- 40−20=20
- 8−3=☐

⇨ 200+20+☐=☐

2 827−415

- 7−5=2
- 20−10=☐
- 800−400=400

⇨ 2+☐+400=☐

3 776−263

- 700−200=500
- 70−60=☐
- 6−3=☐

⇨ 500+☐+☐=☐

4 852−131

- 2−1=☐
- 50−30=20
- 800−100=☐

⇨ ☐+20+☐=☐

5 699−263

- 600−200=☐
- 90−60=30
- 9−3=☐

⇨ ☐+30+☐=☐

6 479−122

- 9−2=☐
- 70−20=☐
- 400−100=300

⇨ ☐+☐+300=☐

(세 자리 수)−(세 자리 수) ②

똑똑한 하루 계산법

• **세로셈으로 계산하기**

예 438−225의 계산

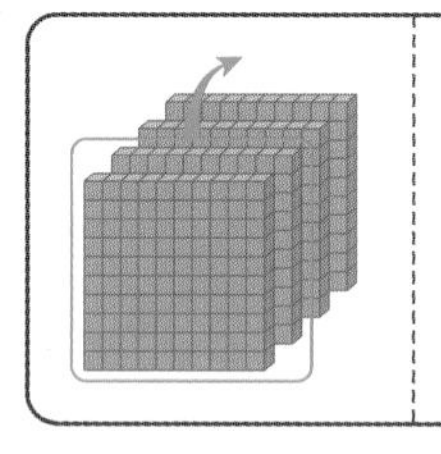
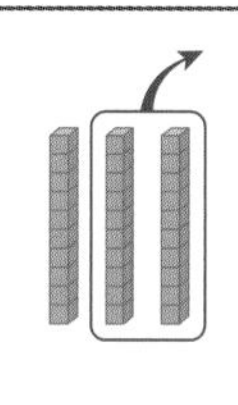
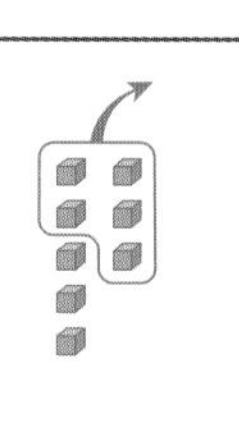

같은 자리 수끼리 빼요.

OX 퀴즈

바르게 계산한 것에 ○표, 틀리게 계산한 것에 ×표 하세요.

$$\begin{array}{r} 976 \\ -\ 245 \\ \hline 729 \end{array}$$

❶ ☐

$$\begin{array}{r} 882 \\ -\ 341 \\ \hline 541 \end{array}$$

❷ ☐

정답 ❶ × ❷ ○

똑똑한 계산 연습

▶정답 및 풀이 4쪽

제한 시간 3분

계산해 보세요.

①

	9	8	7
−	2	6	5

②

	2	8	6
−	1	5	3

③

	5	8	7
−	3	8	2

④

	4	2	9
−	2	1	1

⑤

	7	5	8
−	2	3	7

⑥

	8	2	5
−	3	0	3

⑦

	6	9	5
−	5	2	2

⑧

	9	4	7
−	6	2	3

⑨

	3	8	4
−	1	4	3

⑩

	5	4	6
−	2	1	6

기초 집중 연습

□ 안에 알맞은 수를 써넣으세요.

1-1 798−517

98−17=81

700−500=□

⇨ 81+□=□

1-2 387−242

87−42=□

300−200=100

⇨ □+100=□

1-3 578−132

500−100=□

70−30=40

8−2=□

⇨ □+40+□=□

1-4 654−123

600−100=500

50−20=□

4−3=□

⇨ 500+□+□=□

빈 곳에 알맞은 수를 써넣으세요.

2-1 837 → −421 → □

2-2 569 → −245 → □

2-3 625 → −104 → □

2-4 369 → −137 → □

제한 시간 9분

생활 속 계산

도서관에 있는 종류별 책의 수입니다. 책 수의 차를 구하세요.

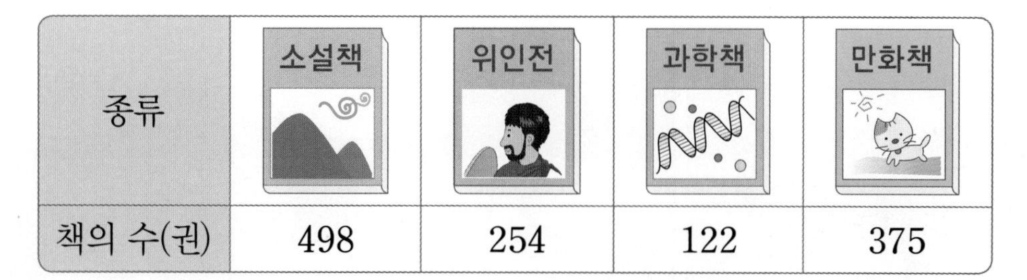

종류	소설책	위인전	과학책	만화책
책의 수(권)	498	254	122	375

3-1 

⇨ 498−375=☐(권)

3-2 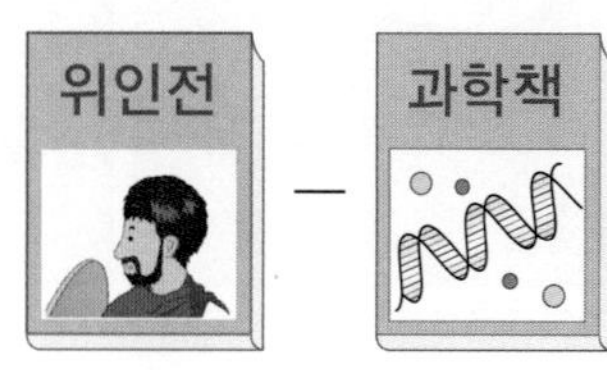

⇨ 254−122=☐(권)

3-3 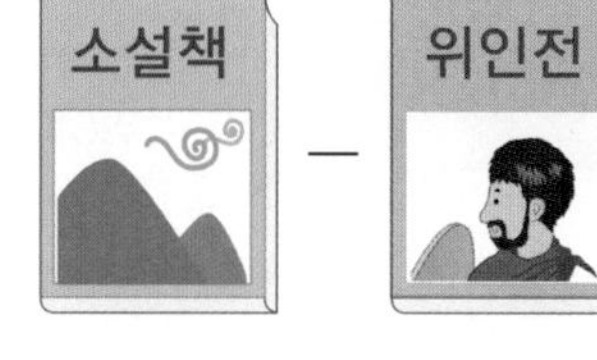

⇨ 498−☐=☐(권)

3-4 

⇨ ☐−122=☐(권)

문장 읽고 계산식 세우기

4-1 종이학을 수아는 387마리, 은호는 수아보다 253마리 더 적게 접었다면 은호가 접은 종이학은 몇 마리?

식 387−☐=☐(마리)

4-2 학생 275명 중 안경을 쓴 학생은 124명일 때 안경을 안 쓴 학생은 몇 명?

식 ☐−124=☐(명)

1주 4일

(세 자리 수)－(세 자리 수) ③

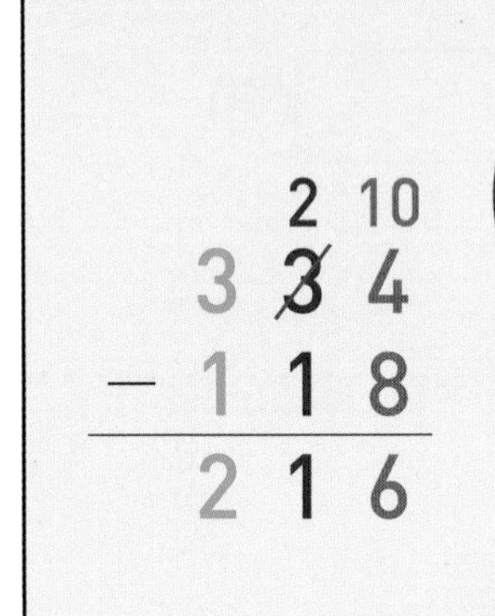

똑똑한 하루 계산법

• 받아내림이 한 번 있는 (세 자리 수)－(세 자리 수)

㉮ 334－118의 계산

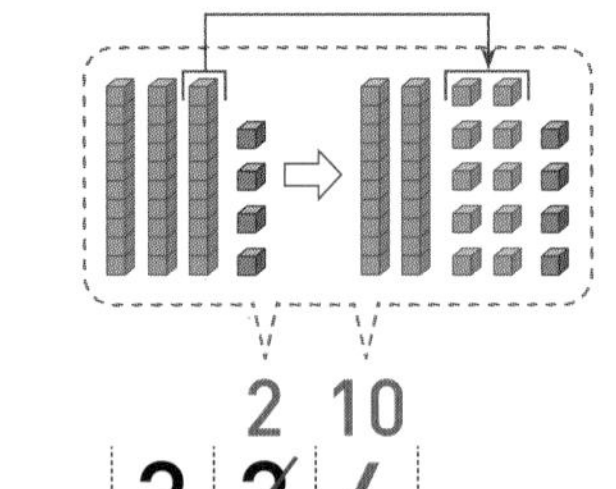

일의 자리 수끼리 뺄 수 없으므로 십의 자리에서 받아내려 계산해요.

	2	10
3	3̸	4
－ 1	1	8
		6

(14－8＝6)

⇨

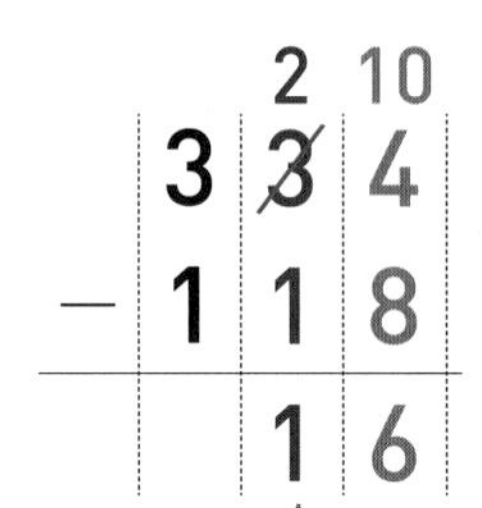

⇨

	2	10
3	3̸	4
－ 1	1	8
2	1	6

(3－1＝2)

▶정답 및 풀이 4쪽

제한 시간 3분

계산해 보세요.

①

	6	5	6
−	1	2	9

②

	7	4	7
−	2	8	3

③

	7	9	3
−	3	3	5

④

	6	5	3
−	3	6	2

⑤

	8	5	5
−	2	4	7

⑥

	9	1	7
−	2	4	5

⑦

	3	7	4
−	1	3	9

⑧

	3	3	5
−	1	6	1

⑨

	3	2	8
−	2	0	9

⑩

	8	5	9
−	5	7	3

5일 (세 자리 수)−(세 자리 수) ④

똑똑한 하루 계산법

• **받아내림이 두 번 있는 (세 자리 수) − (세 자리 수)**

예 325−176의 계산

		1	10
	3	2	5
−	1	7	6
			9

(15−6=9)

⇨

	2	11	10
	3	2	5
−	1	7	6
		4	9

(11−7=4)

⇨

	2	11	10
	3	2	5
−	1	7	6
	1	4	9

(2−1=1)

일, 십, 백의 자리
순서로 빼요.

각 자리 수끼리 뺄 수 없을 때에는
받아내려 계산해요.

똑똑한 계산 연습

▶정답 및 풀이 5쪽

제한 시간 3분

계산해 보세요.

①
	3	2	5
−	1	5	6

②
	8	3	6
−	3	4	9

③
	7	4	4
−	3	7	8

④
	6	3	5
−	1	3	7

⑤
	4	5	1
−	2	6	6

⑥
	9	2	3
−	4	3	7

⑦
	5	1	0
−	1	4	7

⑧
	6	1	2
−	4	9	5

⑨
	9	3	5
−	2	5	8

⑩
	7	2	0
−	1	8	2

5일 기초 집중 연습

 계산해 보세요.

1-1 $564-237=$ ☐

1-2 $783-254=$ ☐

1-3 $467-292=$ ☐

1-4 $325-161=$ ☐

1-5 $851-268=$ ☐

1-6 $622-146=$ ☐

빈 곳에 알맞은 수를 써넣으세요.

2-1 796 → -127 → ☐

2-2 305 → -143 → ☐

2-3 632 → -246 → ☐

2-4 514 → -358 → ☐

제한 시간 9분

생활 속 계산

밭에 심은 농작물의 수와 뽑은 농작물의 수입니다. 뽑고 남은 농작물의 수를 구하세요.

3-1

454 − □ = □ (포기)

3-2

□ − 281 = □ (개)

3-3

□ 포기

3-4

□ 개

문장 읽고 계산식 세우기

4-1 꽃 425송이 중 243송이를 팔았다면 남은 꽃은 몇 송이?

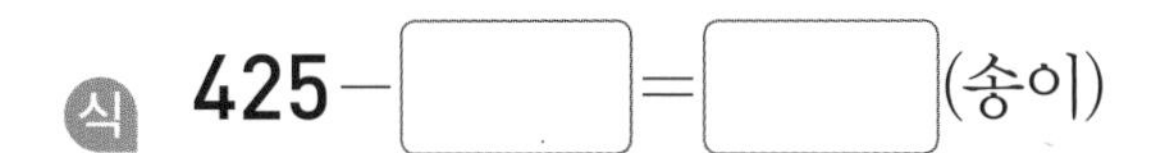

식 425 − □ = □ (송이)

4-2 끈 800 cm에서 149 cm를 사용하였다면 남은 끈의 길이는?

식 □ − 149 = □ (cm)

누구나 100점 맞는 TEST

 계산해 보세요.

❶ $\begin{array}{r} 243 \\ +\ 351 \\ \hline \end{array}$

❷ $\begin{array}{r} 169 \\ +\ 315 \\ \hline \end{array}$

❸ $\begin{array}{r} 425 \\ +\ 382 \\ \hline \end{array}$

❹ $\begin{array}{r} 578 \\ +\ 345 \\ \hline \end{array}$

❺ $\begin{array}{r} 249 \\ +\ 582 \\ \hline \end{array}$

❻ $\begin{array}{r} 647 \\ +\ 868 \\ \hline \end{array}$

❼ $282+115=\square$

❽ $775+218=\square$

❾ $472+383=\square$

❿ $547+468=\square$

▶정답 및 풀이 6쪽

맞은 개수 / 20개

제한 시간 10분

⑪
$$\begin{array}{r} 468 \\ -\ 214 \\ \hline \end{array}$$

⑫
$$\begin{array}{r} 749 \\ -\ 126 \\ \hline \end{array}$$

⑬
$$\begin{array}{r} 678 \\ -\ 429 \\ \hline \end{array}$$

⑭
$$\begin{array}{r} 583 \\ -\ 291 \\ \hline \end{array}$$

⑮
$$\begin{array}{r} 348 \\ -\ 159 \\ \hline \end{array}$$

⑯
$$\begin{array}{r} 932 \\ -\ 589 \\ \hline \end{array}$$

⑰ $625-105=\square$

⑱ $843-417=\square$

⑲ $407-162=\square$

⑳ $782-594=\square$

제한 시간 안에 정확하게
모두 풀었다면 여러분은 진정한 **계산왕!**

특강 창의·융합·코딩

전시관에 있는 곤충 수를 맞혀라!

융합 1 곤충 전시관에 있는 곤충들을 보고 있습니다. 주어진 곤충 수의 합을 구하세요.

나비와 매미의 수의 합을 구해 봐.

$+$ $=478+\square=\square$(마리)

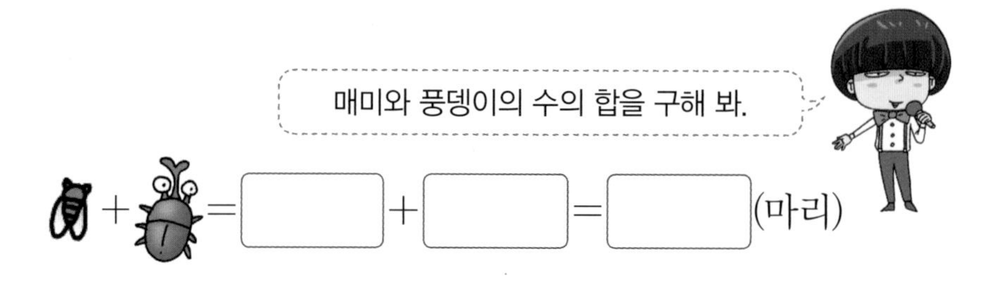

매미와 풍뎅이의 수의 합을 구해 봐.

$+$ $=\square+\square=\square$(마리)

▶정답 및 풀이 6쪽

공연장에 남아 있는 좌석은?

공연을 보러 공연장에 갔습니다. 대화를 보고 ▢ 안에 알맞은 수를 써넣으세요.

남아 있는 좌석은 앉을 수 있는 좌석 수에서 앉은 사람 좌석 수를 빼면 돼.

아~ 그럼 공연장에 남아 있는 좌석은

357 − ▢ = ▢ (석)이겠구나.

창의 · 융합 · 코딩

보기 와 같이 수직선에서 뛰어 계산한 것을 보고 ☐ 안에 알맞은 수를 써넣으세요.

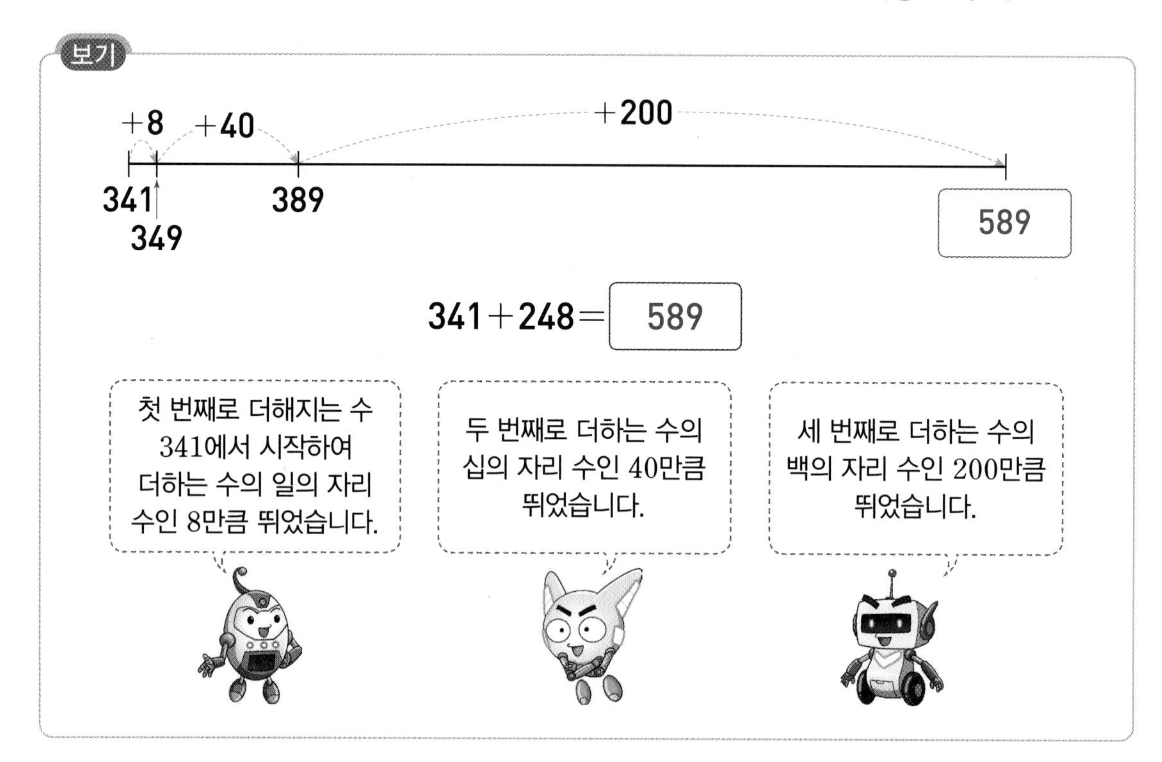

창의 3

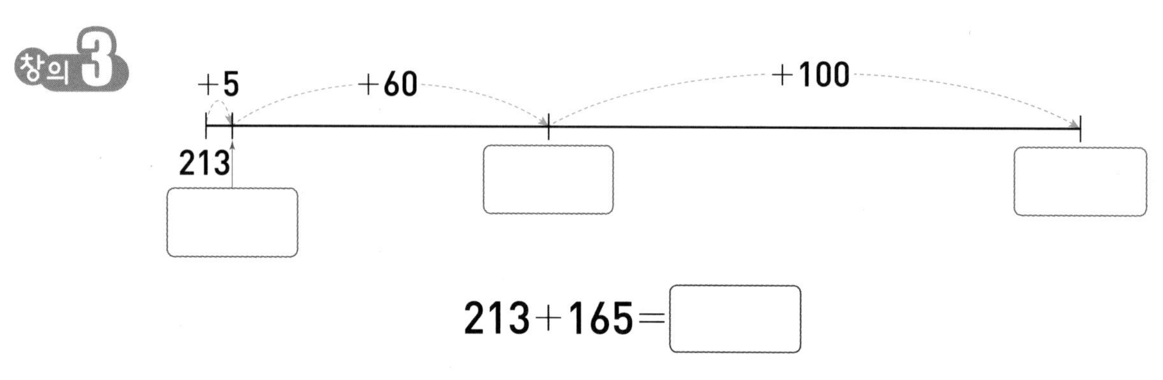

213+165=☐

창의 4

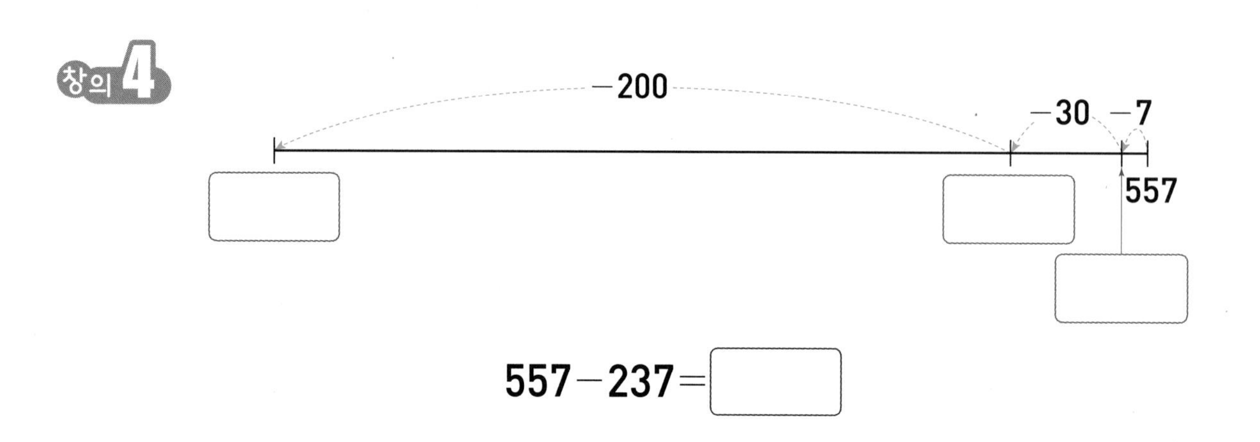

▶정답 및 풀이 6쪽

융합 5 다음은 세계의 빌딩 높이를 나타낸 것입니다. 부르즈 할리파는 롯데월드 타워보다 몇 m 더 높은지 구하세요.

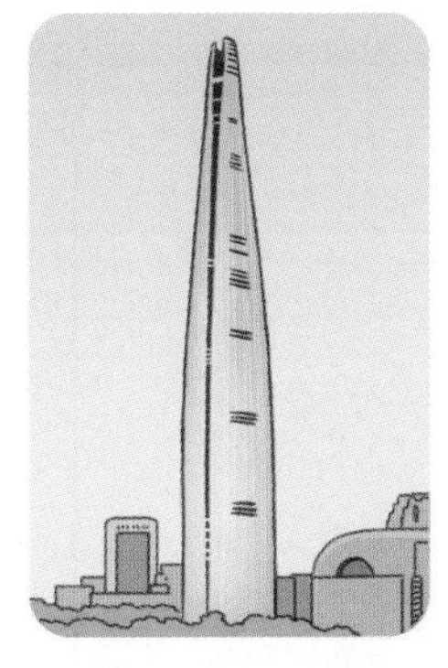

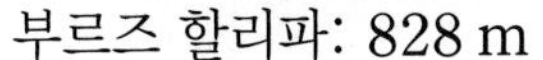

부르즈 할리파: 828 m　　롯데월드 타워: 555 m　　타이베이 101빌딩: 508 m

828 − □ = □ (m)

융합 6 다음은 재활용할 때 분리배출을 쉽게 하기 위해 나타낸 분리배출표시입니다.

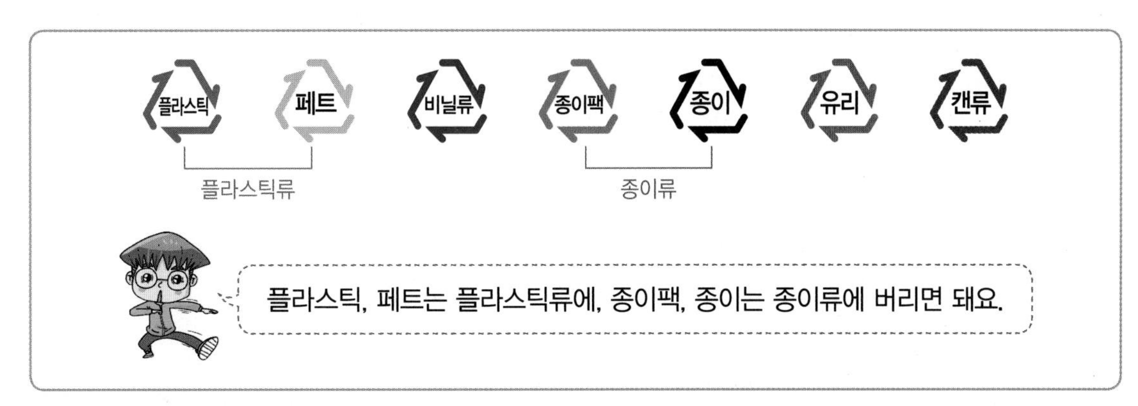

수호는 분리배출표시가 플라스틱인 것을 329개, 페트인 것을 275개 모았다면 플라스틱류에 버릴 수 있는 것은 모두 몇 개인지 구하세요.

답 ＿＿＿＿＿＿ 개

1주 특강

창의·융합·코딩

청소 로봇이 보기 와 같이 블록 명령에 맞게 움직이면서 동전을 줍습니다. 블록 명령에 따라 주운 동전은 모두 얼마인지 구하세요.

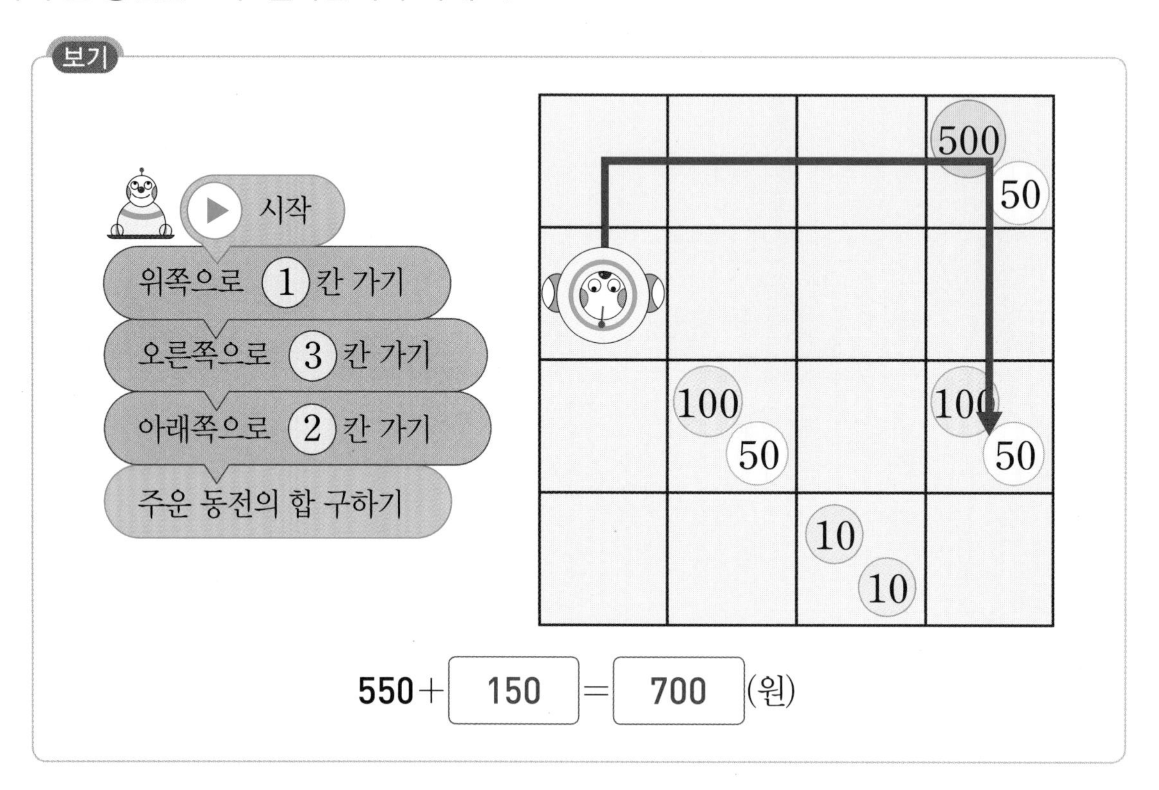

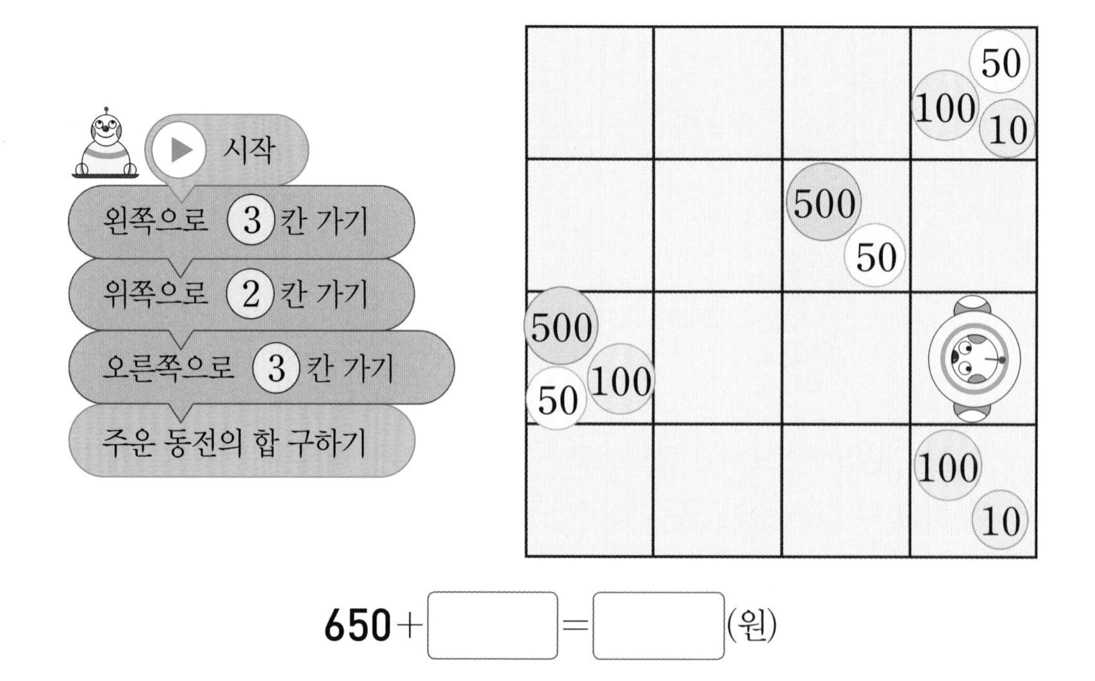

650+ ☐ = ☐ (원)

▶정답 및 풀이 6쪽

융합 8 다음은 윤희의 용돈 기입장의 일부입니다. 4월 20일에 남은 돈은 얼마인지 구하세요.

날짜	들어온 돈	사용한 돈	남은 돈
4월 17일	850원	•	980원
4월 18일	•	450원	530원
4월 19일	•	170원	360원
4월 20일	780원	•	
4월 21일	•	570원	

답 ______ 원

창의 9 상윤이가 두 다리 중에서 길이가 더 짧은 다리를 건너려고 합니다. 건너야 할 다리를 찾아 기호를 쓰세요.

㉠ 945 m보다 198 m만큼 더 짧은 다리

㉡ 578 m보다 161 m만큼 더 긴 다리

답 ______

2주 나눗셈, 곱셈 (1)

딸기농장 체험

여러분, 오늘은 딸기를 수확해 볼 거예요.
우와~.
맛있는 딸기!

그 전에 이것 좀 먹고들 해요.
아이고, 뭘 이런 걸 다…….

감사합니다.
잘 먹겠습니다.
혹시 고구마나 감자 그런 건가요?

아닌데? 내가 좋아하는 초콜릿 쿠키인데?

내가 초콜릿 쿠키를 좋아하는 것이 이상해 보이나요?
어……. 아니요.

주신 초콜릿 쿠키 16개를 4명이 똑같이 나누어 가지면
한 사람이 16÷4=4(개)씩 가질 수 있겠네요.

아주 맛있네요.
저기요…….

나까지 5명으로 계산했어야 하는 거 아닌가요…….
찌릿
헉! 죄송합니다.

이번에 배울 내용을 알아볼까요? 

- 1일 똑같이 나누기
- 2일 곱셈과 나눗셈의 관계
- 3일 나눗셈의 몫을 곱셈식(곱셈구구)으로 구하기
- 4일 (몇십)×(몇)
- 5일 올림이 없는 (몇십몇)×(몇)

이번에 배울 내용을 알아볼까요? ②

2-1 곱셈

3×4는 3을 4번 더한 것과 같아요.

'3 곱하기 4는 12와 같습니다.' 또는 '3과 4의 곱은 12입니다.' 라고 읽어요.

그림을 보고 ☐ 안에 알맞은 수를 써넣으세요.

1-1

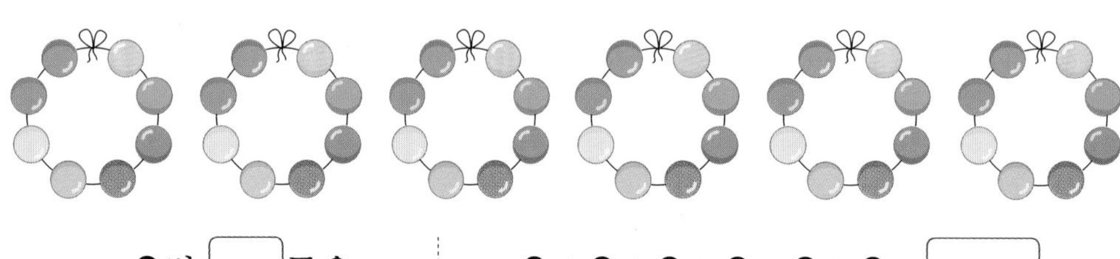

8씩 ☐ 묶음

8의 ☐ 배

$8+8+8+8+8+8=\square$

⇨ $8\times\square=\square$

1-2

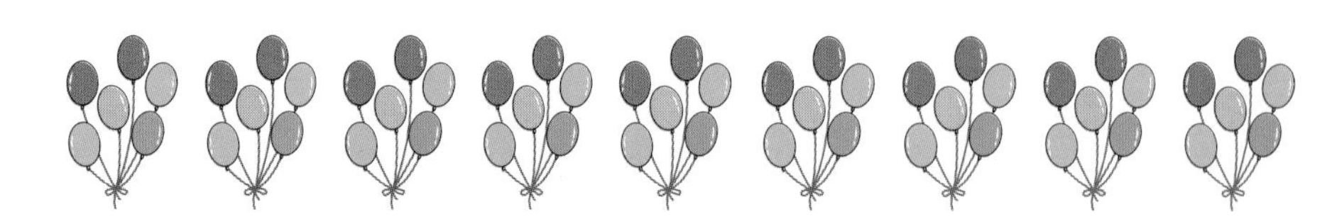

6씩 ☐ 묶음

6의 ☐ 배

$6+6+6+6+6+6+6+6+6=\square$

⇨ $6\times\square=\square$

2-2 곱셈구구

×	1	2	3	4	5	6	7	8	9
1	1	2	3	4	5	6	7	8	9
2	2	4	6	8	10	12	14	16	18
3	3	6	9	12	15	18	21	24	27
4	4	8	12	16	20	24	28	32	36
5	5	10	15	20	25	30	35	40	45
6	6	12	18	24	30	36	42	48	54
7	7	14	21	28	35	42	49	56	63
8	8	16	24	32	40	48	56	64	72
9	9	18	27	36	45	54	63	72	81

곱셈표에서 8×5와 곱이 같은 곱셈구구는 5×8이에요.

곱셈에서 곱하는 두 수의 순서를 서로 바꾸어도 곱이 같아요.

곱셈표에서 빈칸에 알맞은 수를 써넣으세요.

2-1

×	2	3	4
2	4	6	8
3	6	9	12
4		12	16

2-2

×	5	6	7
5	25		35
6	30	36	42
7	35	42	49

2-3

×	6	7	8
6	36		48
7	42	49	56
8	48	56	64

2-4

×	7	8	9
7	49	56	63
8	56	64	72
9		72	81

똑같이 나누기 ①

똑똑한 하루 계산법

• 나눗셈식 알아보기

예 8÷2의 계산

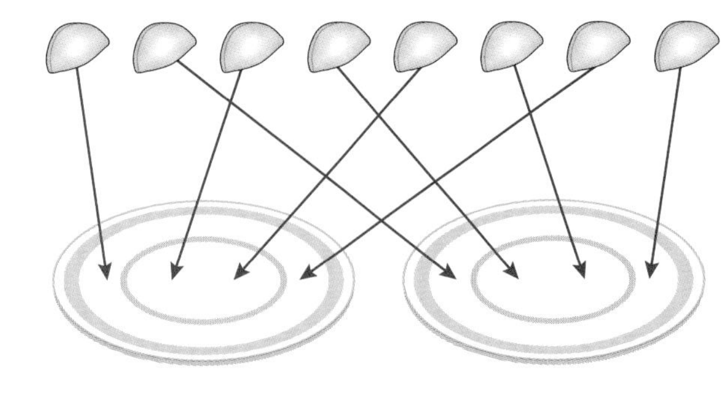

나눗셈식 $8 \div 2 = 4$ ← 몫

나누어지는 수: 8, 나누는 수: 2

읽기 **8 나누기 2는 4와 같습니다.**

OX 퀴즈

나눗셈식을 바르게 읽었으면 ○에, 틀리게 읽었으면 ✕에 ○표 하세요.

$6 \div 3 = 2$

⇨ 6 나누기 2는 3과 같습니다.

정답 ✕에 ○표

똑똑한 계산 연습

▶정답 및 풀이 7쪽

제한 시간 3분

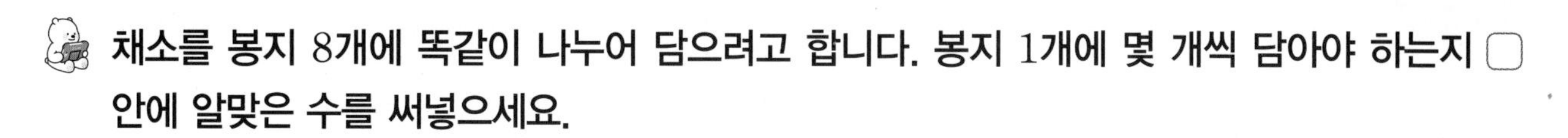

채소를 봉지 8개에 똑같이 나누어 담으려고 합니다. 봉지 1개에 몇 개씩 담아야 하는지 ☐ 안에 알맞은 수를 써넣으세요.

1 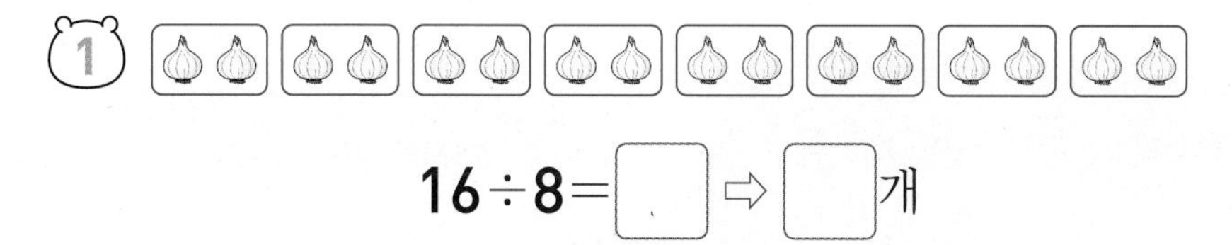

$16 \div 8 =$ ☐ ⇨ ☐개

채소를 8묶음으로 똑같이 나눈 한 묶음의 수를 구해요.

2 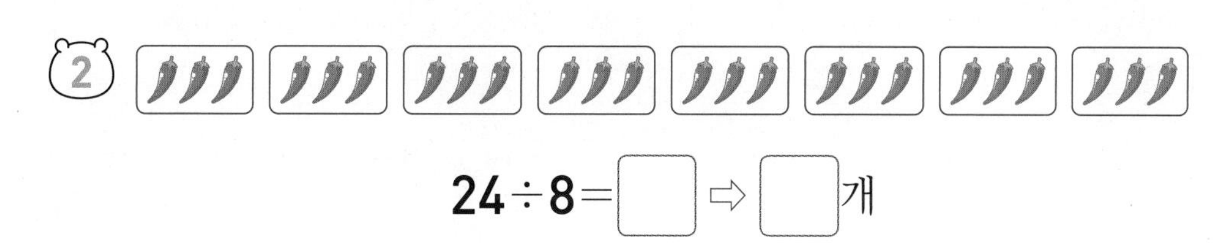

$24 \div 8 =$ ☐ ⇨ ☐개

3 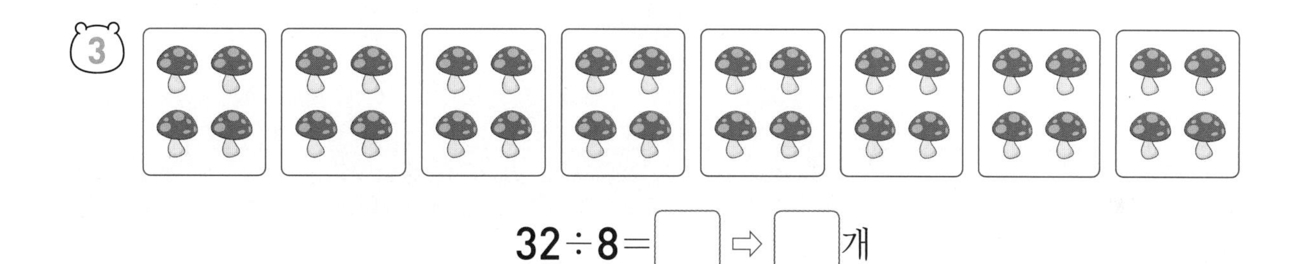

$32 \div 8 =$ ☐ ⇨ ☐개

나눗셈식을 읽거나 써 보세요.

4 $6 \div 3 = 2$

읽기 ☐ 나누기 3은 2와 같습니다.

5 $24 \div 4 = 6$

읽기 24 나누기 4는 ☐와/과 같습니다.

6 15 나누기 5는 3과 같습니다.

쓰기 $15 \div$ ☐ $=$ ☐

7 72 나누기 8은 9와 같습니다.

쓰기 ☐ $\div 8 =$ ☐

똑같이 나누기 ②

똑똑한 하루 계산법

• **나눗셈식으로 나타내기**

예 6÷2의 계산

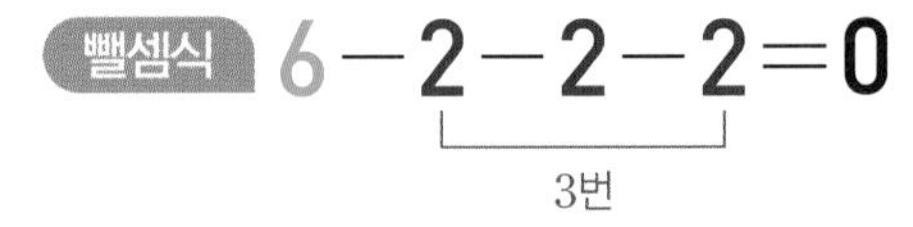

뺄셈식 $6-2-2-2=0$ (3번)

나눗셈식 $6\div2=3$

6에서 2씩 3번 빼면 0이 됩니다.

6을 2씩 묶으면 3묶음이 됩니다.

○✕ 퀴즈

뺄셈식을 나눗셈식으로 나타낸 것이 바르면 ○에, 틀리면 ✕에 ○표 하세요.

$8-2-2-2-2=0$

⇨ $8\div2=4$

정답 ○에 ○표

똑똑한 계산 연습

▶정답 및 풀이 7쪽

제한 시간 | 3분

과일을 한 명에게 3개씩 나누어 주려고 합니다. 몇 명에게 나누어 줄 수 있는지 ▢ 안에 알맞은 수를 써넣으세요.

 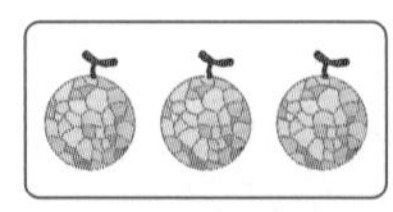 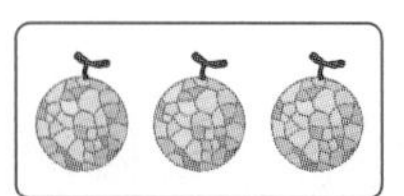 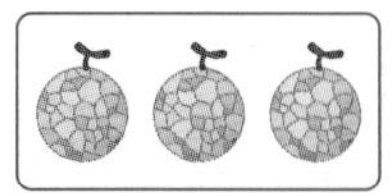

$9 \div 3 = \square$ ⇨ $\square$명

과일을 3개씩 묶었을 때 묶음의 수를 구해요.

2 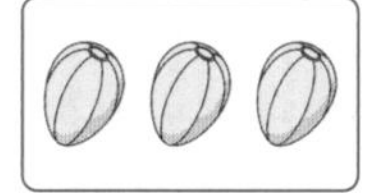 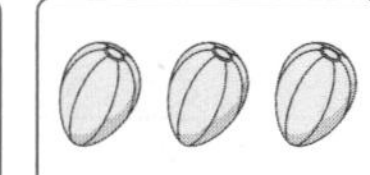 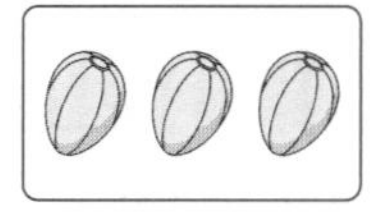 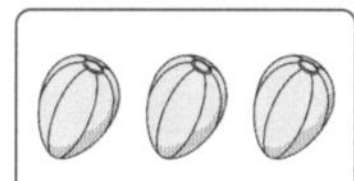

$12 \div 3 = \square$ ⇨ $\square$명

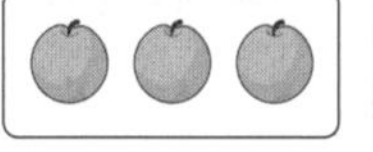   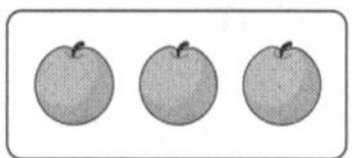

$24 \div 3 = \square$ ⇨ $\square$명

뺄셈식을 나눗셈식으로 나타내어 보세요.

 $8-2-2-2-2=0$

⇨ $\square \div \square = \square$

5 $12-4-4-4=0$

⇨ $\square \div \square = \square$

6 $15-3-3-3-3-3=0$

⇨ $\square \div \square = \square$

7 $30-5-5-5-5-5-5=0$

⇨ $\square \div \square = \square$

2주 1일

1일

기초 집중 연습

수직선을 보고 나눗셈식을 만들어 보세요.

1-1

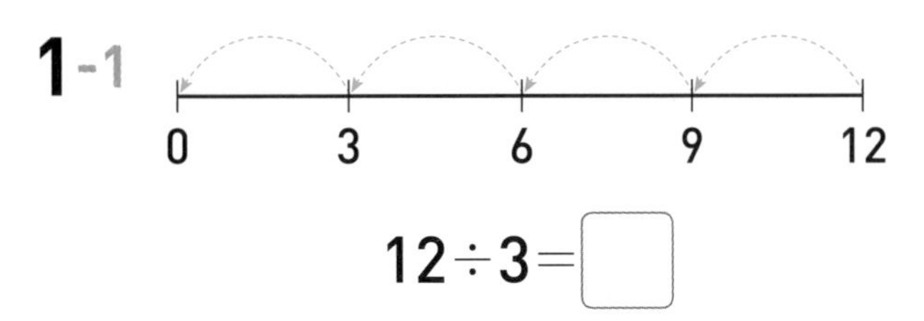

$12 \div 3 = \square$

1-2

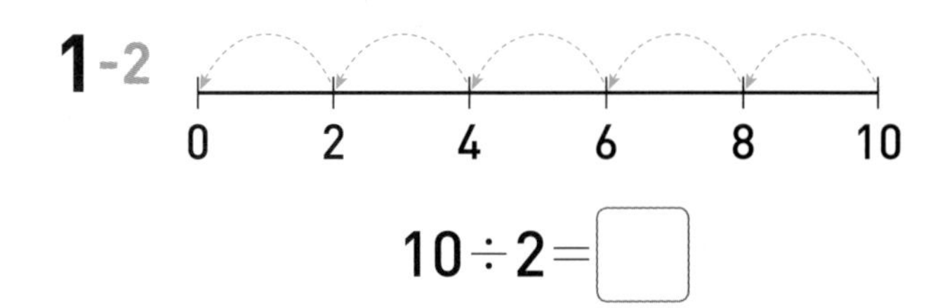

$10 \div 2 = \square$

1-3

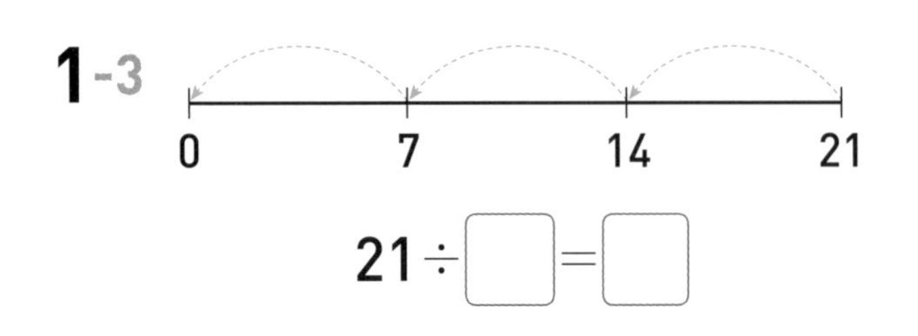

$21 \div \square = \square$

1-4

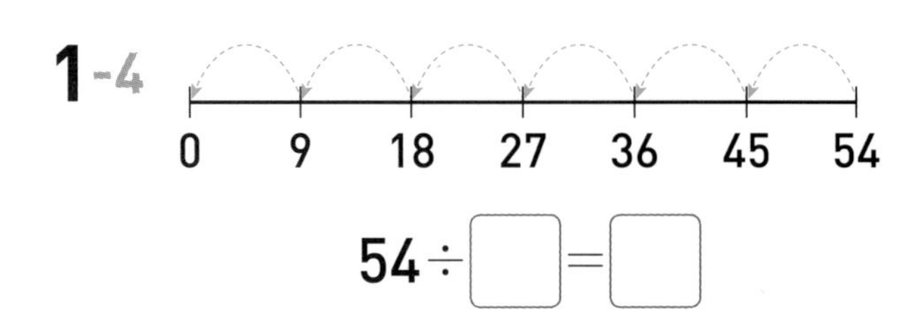

$54 \div \square = \square$

보기 와 같이 나눗셈식에서 나누어지는 수에 □표, 나누는 수에 △표, 몫에 ○표 하세요.

보기

42 ÷ 6 = 7 (42: 나누어지는 수 □, 6: 나누는 수 △, 7: 몫 ○)

2-1 $56 \div 8 = 7$

2-2 $16 \div 2 = 8$

2-3 $36 \div 9 = 4$

2-4 $40 \div 5 = 8$

2-5 $14 \div 7 = 2$

제한 시간 9분

생활 속 계산

그림과 같이 색 테이프를 똑같이 나누어 잘랐을 때 한 도막의 길이를 구하세요.

3-1 16 cm

16÷2=□(cm)

3-2 42 cm

42÷6=□(cm)

3-3 27 cm

27÷□=□(cm)

3-4 30 cm

30÷□=□(cm)

문장 읽고 계산식 세우기

4-1 토마토 20개를 한 봉지에 5개씩 똑같이 나누어 담으면 몇 봉지가 되는지?

식 20÷5=□(봉지)

4-2 호박 56개를 한 상자에 8개씩 똑같이 나누어 담으면 몇 상자가 되는지?

식 56÷□=□(상자)

4-3 색연필 54자루를 6명이 똑같이 나누면 한 명이 몇 자루씩 가지는지?

식 □÷□=□(자루)

4-4 구슬 35개를 7명이 똑같이 나누면 한 명이 몇 개씩 가지는지?

식 □÷□=□(개)

곱셈과 나눗셈의 관계 ①

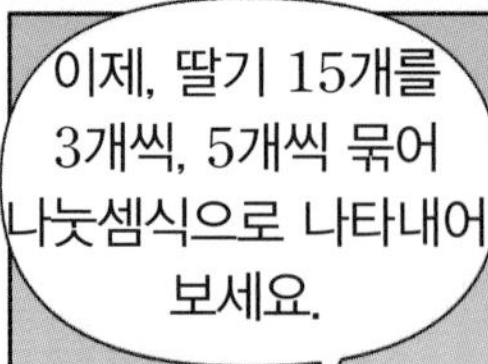

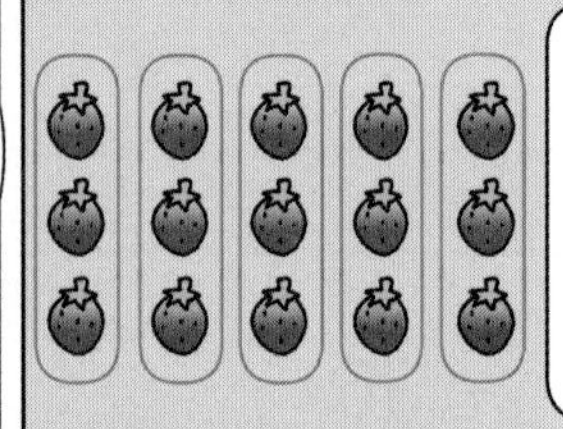

똑똑한 하루 계산법

- 곱셈식과 나눗셈식으로 나타내기

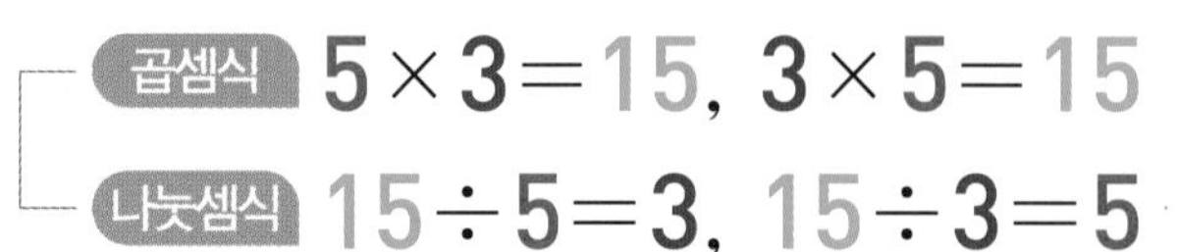

○✕ 퀴즈

곱셈식을 나눗셈식으로 나타낸 것이 바르면 ○에, 틀리면 ✕에 ○표 하세요.

$6\times4=24$

⇨ $24\div8=3$

정답 ✕에 ○표

▶정답 및 풀이 8쪽

제한 시간 3분

그림을 보고 □ 안에 알맞은 수를 써넣으세요.

1

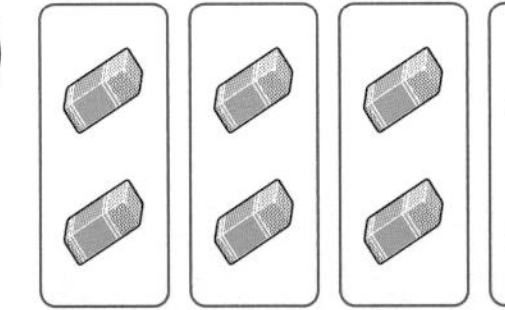
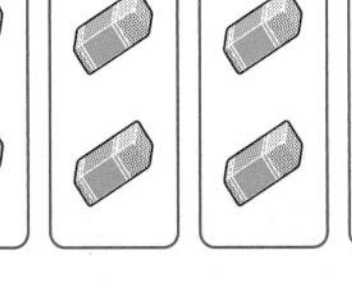
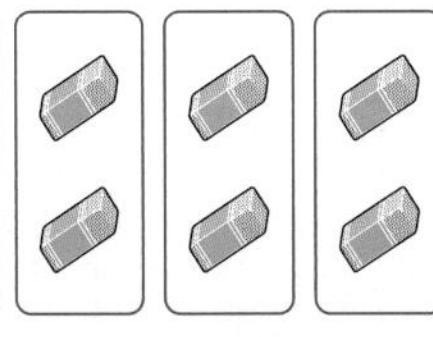

$2 \times \square = \square$ ⇨ $14 \div 2 = \square$

2

$3 \times \square = \square$ ⇨ $15 \div 3 = \square$

3
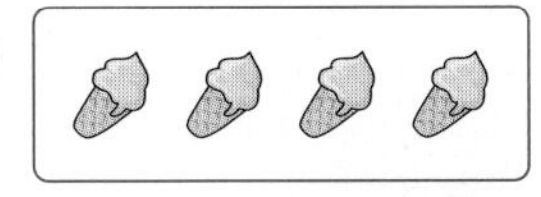
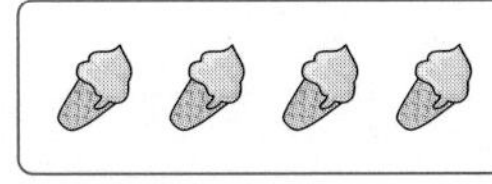
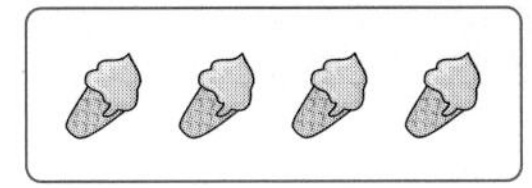
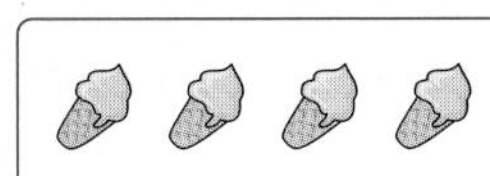

$4 \times \square = \square$ ⇨ $16 \div 4 = \square$

4
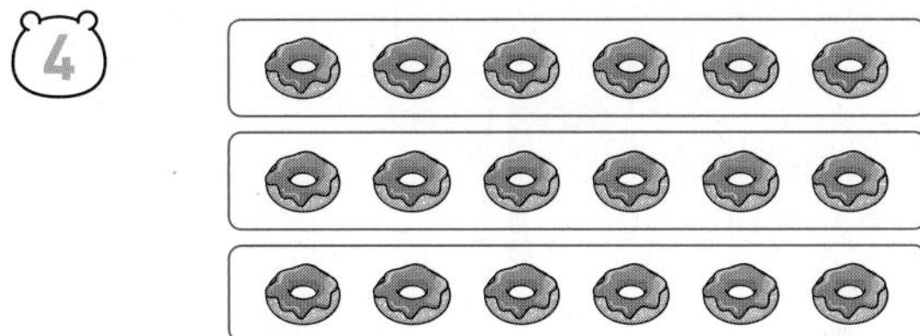

$6 \times \square = \square$ ⇨ $18 \div 6 = \square$

5
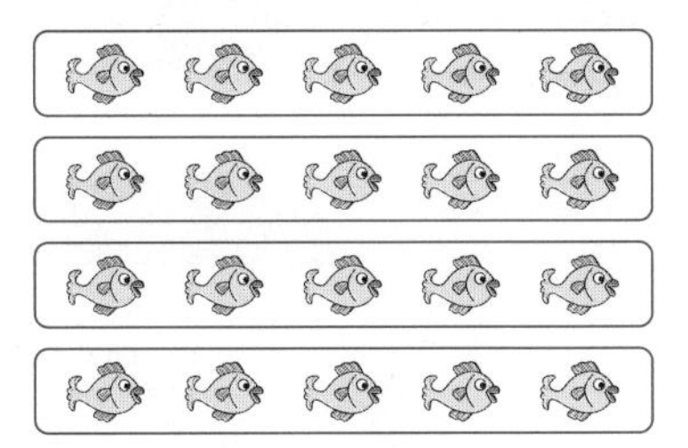

$5 \times \square = \square$ ⇨ $20 \div 5 = \square$

6
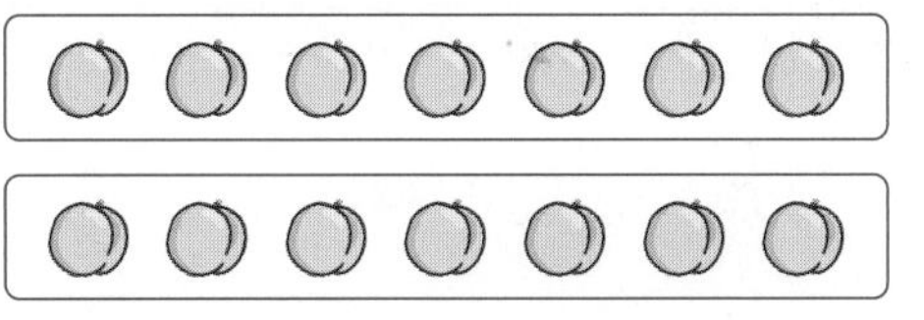

$7 \times \square = \square$ ⇨ $21 \div 7 = \square$

7

$\square \times 5 = \square$ ⇨ $45 \div \square = 5$

8
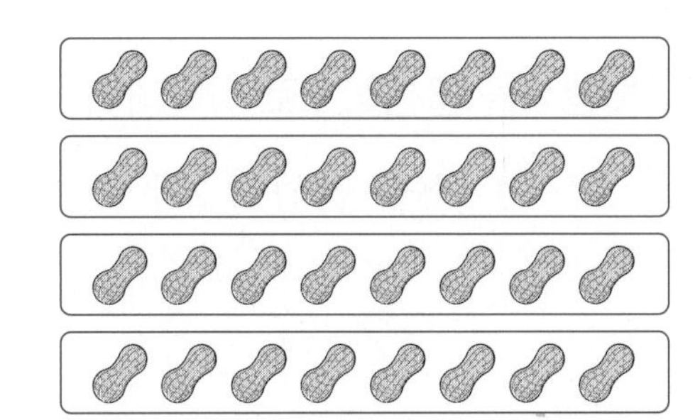

$\square \times 4 = \square$ ⇨ $32 \div \square = 4$

2주 2일

2일 곱셈과 나눗셈의 관계 ②

똑똑한 하루 계산법

- **곱셈식을 나눗셈식으로 나타내기**

예 $6\times3=18$을 나눗셈식 2개로 나타내기

$$6\times3=18 \rightarrow 18\div3=6,\quad 18\div6=3$$

- **나눗셈식을 곱셈식으로 나타내기**

예 $32\div4=8$을 곱셈식 2개로 나타내기

$$32\div4=8 \rightarrow 4\times8=32,\quad 8\times4=32$$

○✕ 퀴즈

나눗셈식을 곱셈식으로 나타낸 것이 바르면 ○에, 틀리면 ✕에 ○표 하세요.

$27\div9=3$

⇨ $9\times3=27$

정답 ○에 ○표

똑똑한 계산 연습

▶정답 및 풀이 8쪽

제한 시간 3분

곱셈식을 나눗셈식으로 나타내어 보세요.

① $2\times5=10$ → $10\div2=\square$, $10\div5=\square$

② $4\times7=28$ → $28\div\square=7$, $28\div\square=4$

③ $6\times5=30$ → $30\div6=\square$, $30\div\square=\square$

④ $8\times4=32$ → $\square\div8=\square$, $32\div\square=\square$

2주 2일

나눗셈식을 곱셈식으로 나타내어 보세요.

⑤ $21\div3=7$ → $7\times\square=21$, $3\times\square=21$

⑥ $45\div5=9$ → $\square\times5=45$, $\square\times9=45$

⑦ $24\div4=6$ → $6\times\square=24$, $4\times\square=\square$

⑧ $72\div8=9$ → $\square\times8=\square$, $\square\times\square=\square$

2일 기초 집중 연습

□ 안에 알맞은 수를 써넣으세요.

1-1 $3 \times 9 = \square$ → $\square \div 3 = \square$, $\square \div 9 = \square$

1-2 $8 \times 6 = \square$ → $\square \div 8 = \square$, $\square \div 6 = \square$

1-3 $20 \div 5 = \square$ → $\square \times 5 = \square$, $5 \times \square = \square$

1-4 $42 \div 7 = \square$ → $\square \times 7 = \square$, $7 \times \square = \square$

보기 와 같이 그림을 이용하여 만든 곱셈식을 보고 나눗셈식을 만들어 보세요.

보기

곱셈식 $3 \times 5 = 15$

나눗셈식 $15 \div 3 = 5$, $15 \div 5 = 3$

2-1

곱셈식 $4 \times 3 = 12$

나눗셈식 $\square \div 4 = \square$, $\square \div 3 = \square$

2-2

곱셈식 $7 \times 2 = 14$

나눗셈식 $\square \div \square = \square$, $\square \div \square = \square$

2-3

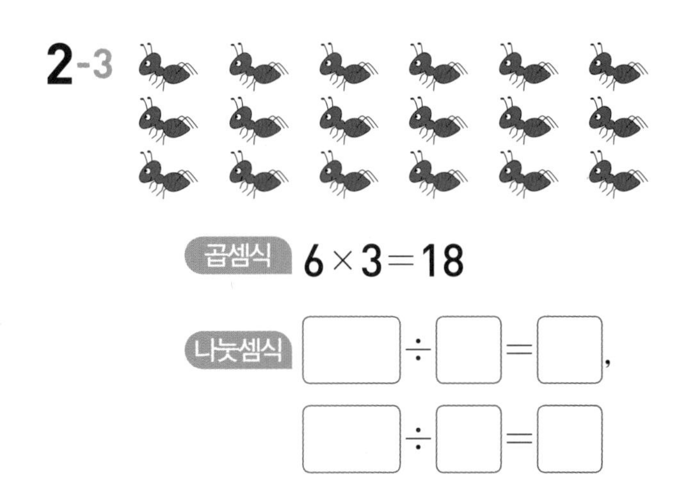

곱셈식 $6 \times 3 = 18$

나눗셈식 $\square \div \square = \square$, $\square \div \square = \square$

제한 시간 | 9분

생활 속 계산

 그림을 보고 □ 안에 알맞은 수를 써넣으세요.

3-1

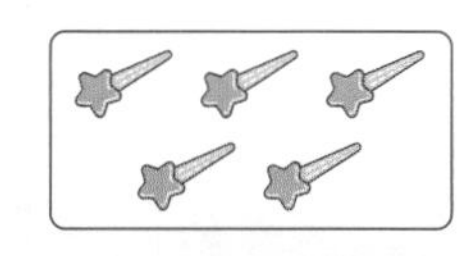 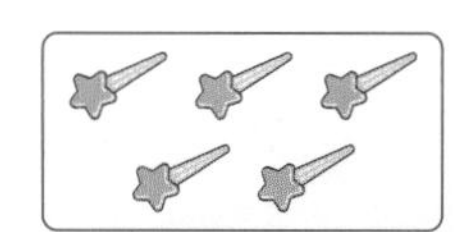

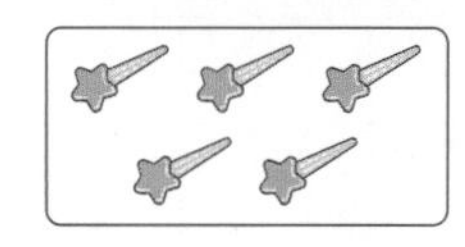 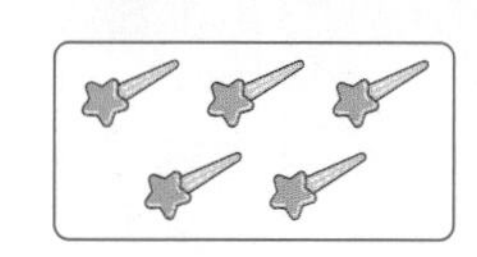

$5 \times \square = \square$

$\square \div 5 = \square$

$\square \div \square = \square$

3-2

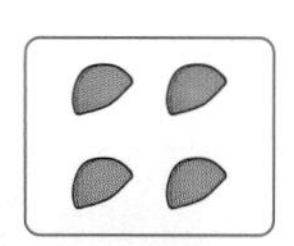 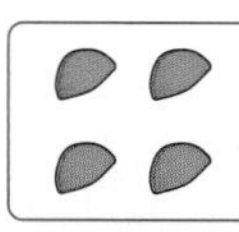 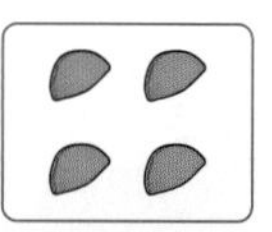

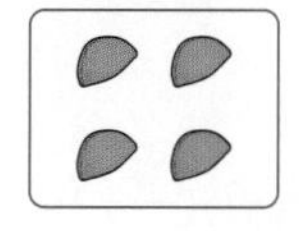 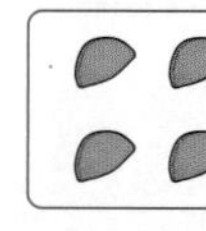 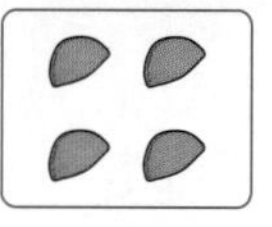

$4 \times \square = \square$

$\square \div 4 = \square$

$\square \div \square = \square$

문장 읽고 계산식 세우기

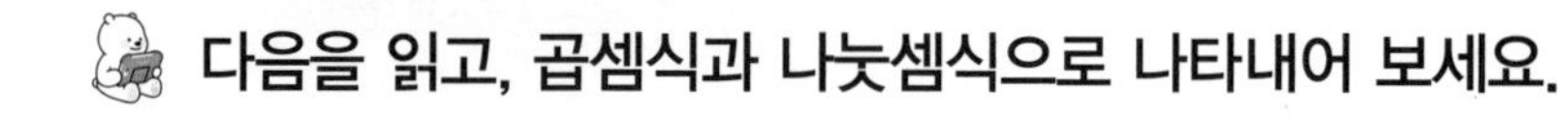
다음을 읽고, 곱셈식과 나눗셈식으로 나타내어 보세요.

4-1

꽃 36송이를 4송이씩 9병에 꽂았습니다.

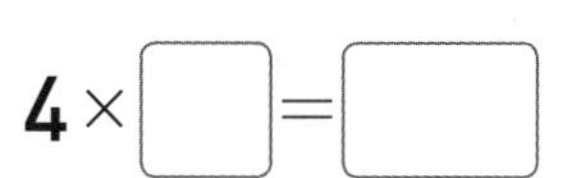
곱셈식 $4 \times \square = \square$

나눗셈식 $36 \div 4 = \square$

$36 \div \square = \square$

4-2

풀 15개를 5개씩 3상자에 담았습니다.

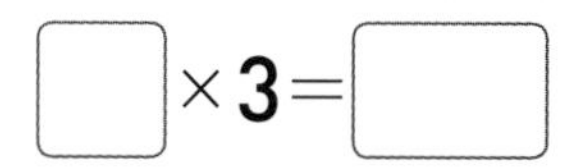
곱셈식 $\square \times 3 = \square$

나눗셈식 $15 \div \square = 3$

$15 \div 3 = \square$

3일  나눗셈의 몫을 곱셈식으로 구하기

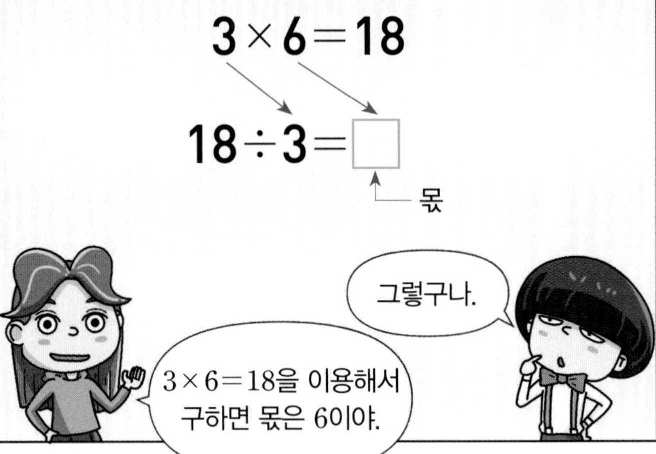

똑똑한 하루 계산법

• **나눗셈의 몫 구하기**

예 18÷3=□의 몫을 곱셈식으로 구하기

18÷3=□의 몫 □는 3×6=18을 이용해 구할 수 있습니다.

$3 \times 6 = 18$

$18 \div 3 = \square$ ← 몫

주의

6×3=18을 이용해 몫을 구할 수 있는 나눗셈식은 18÷6=□입니다.

○× 퀴즈

나눗셈의 몫을 구하기 위한 곱셈식으로 옳으면 ○에, 틀리면 ×에 ○표 하세요.

12÷2 ⇨ 2×7=14

❶  

30÷5 ⇨ 5×6=30

❷  

정답 ❶ ×에 ○표 ❷ ○에 ○표

똑똑한 계산 연습

▶정답 및 풀이 9쪽

제한 시간 3분

곱셈식을 이용하여 나눗셈의 몫을 구하려고 합니다. ▢ 안에 알맞은 수를 써넣으세요.

1. $8 \div 4 = \square$ ⇨ $4 \times 2 = 8$

2. $27 \div 9 = \square$ ⇨ $9 \times 3 = 27$

3. $35 \div 5 = \square$ ⇨ $5 \times 7 = 35$

4. $12 \div 3 = \square$ ⇨ $3 \times 4 = 12$

5. $18 \div 6 = \square$ ⇨ $6 \times 3 = 18$

6. $42 \div 7 = \square$ ⇨ $7 \times 6 = 42$

7. $40 \div 8 = \square$ ⇨ $8 \times 5 = 40$

8. $72 \div 9 = \square$ ⇨ $9 \times 8 = 72$

9. $54 \div 6 = \square$ ⇨ $6 \times 9 = 54$

10. $32 \div 8 = \square$ ⇨ $8 \times 4 = 32$

11. $56 \div 7 = \square$ ⇨ $7 \times 8 = 56$

12. $14 \div 2 = \square$ ⇨ $2 \times 7 = 14$

3일 나눗셈의 몫을 곱셈구구로 구하기

×	1	2	3	4	5	6	7	8	9
1	1	2	3	4	5	6	7	8	9
2	2	4	6	8	10	12	14	16	18
3	3	6	9	12	15	18	21	24	27
4	4	8	12	16	20	24	28	32	36
5	5	10	15	20	25	30	35	40	45
6	6	12	18	24	30	36	42	48	54
7	7	14	21	28	35	42	49	56	63
8	8	16	24	32	40	48	56	64	72
9	9	18	27	36	45	54	63	72	81

똑똑한 하루 계산법

- **나눗셈의 몫을 곱셈표를 이용하여 구하기**

예 35÷7의 몫을 곱셈구구로 구하기

×	1	2	3	4	5	6	7	8	9
1	1	2	3	4	5	6	7	8	9
2	2	4	6	8	10	12	14	16	18
3	3	6	9	12	15	18	21	24	27
4	4	8	12	16	20	24	28	32	36
5	5	10	15	20	25	30	35	40	45
6	6	12	18	24	30	36	42	48	54
7	7	14	21	28	35	42	49	56	63
8	8	16	24	32	40	48	56	64	72
9	9	18	27	36	45	54	63	72	81

$7 \times 5 = 35 \longleftrightarrow 35 \div 7 = 5$

○× 퀴즈

나눗셈의 몫을 구하기 위한 곱셈구구로 옳으면 ○에, 틀리면 ×에 ○표 하세요.

48÷8 ⇨ 8의 단 곱셈구구

❶  

24÷3 ⇨ 6의 단 곱셈구구

❷  

정답 ❶ ○에 ○표 ❷ ×에 ○표

똑똑한 계산 연습

▶정답 및 풀이 9쪽

제한 시간 3분

곱셈구구를 이용하여 나눗셈의 몫을 구하려고 합니다. ▢ 안에 알맞은 수를 써넣으세요.

1. $14 \div 7 = \square \longleftrightarrow 7 \times \square = 14$
   7의 단 곱셈구구를 이용합니다.

2. $54 \div 6 = \square \longleftrightarrow 6 \times \square = 54$
   6의 단 곱셈구구를 이용합니다.

3. $12 \div 4 = \square \longleftrightarrow 4 \times \square = 12$
   4의 단 곱셈구구를 이용합니다.

4. $35 \div 5 = \square \longleftrightarrow 5 \times \square = 35$
   5의 단 곱셈구구를 이용합니다.

5. $36 \div 9 = \square \longleftrightarrow 9 \times \square = 36$
   9의 단 곱셈구구를 이용합니다.

6. $16 \div 2 = \square \longleftrightarrow 2 \times \square = 16$
   2의 단 곱셈구구를 이용합니다.

7. $15 \div 3 = \square \longleftrightarrow 3 \times \square = 15$
   3의 단 곱셈구구를 이용합니다.

8. $42 \div 7 = \square \longleftrightarrow 7 \times \square = 42$
   7의 단 곱셈구구를 이용합니다.

9. $64 \div 8 = \square \longleftrightarrow 8 \times \square = 64$
   8의 단 곱셈구구를 이용합니다.

10. $10 \div 5 = \square \longleftrightarrow 5 \times \square = 10$
    5의 단 곱셈구구를 이용합니다.

3일 기초 집중 연습

빈 곳에 알맞은 수를 써넣으세요.

1-1 $8 \times \square = 24$

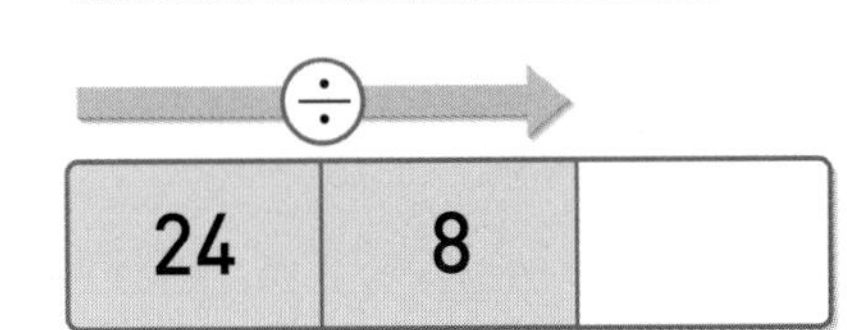

1-2 $2 \times \square = 14$

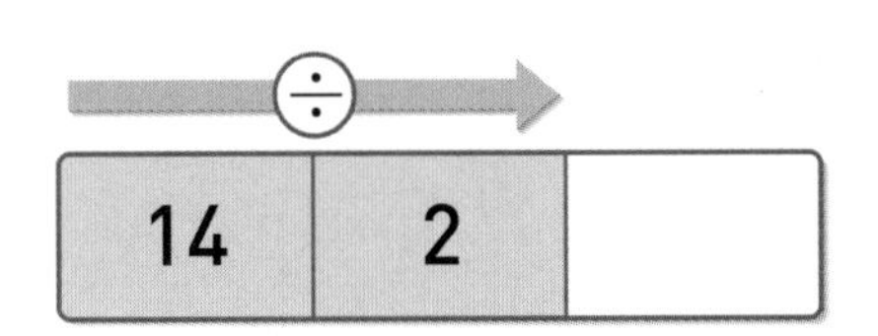

1-3 $\square \times 6 = 36$

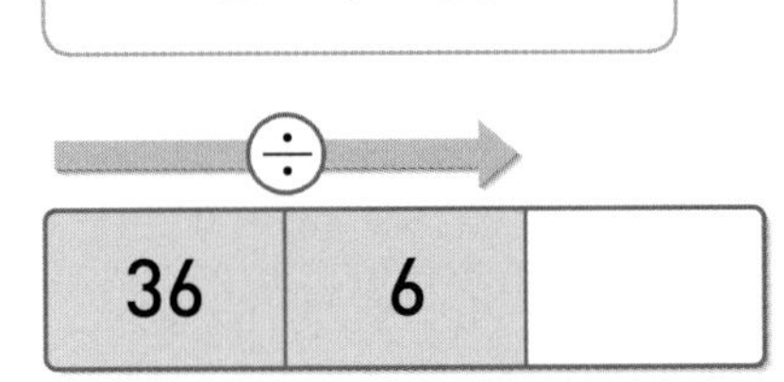

1-4 $\square \times 9 = 45$

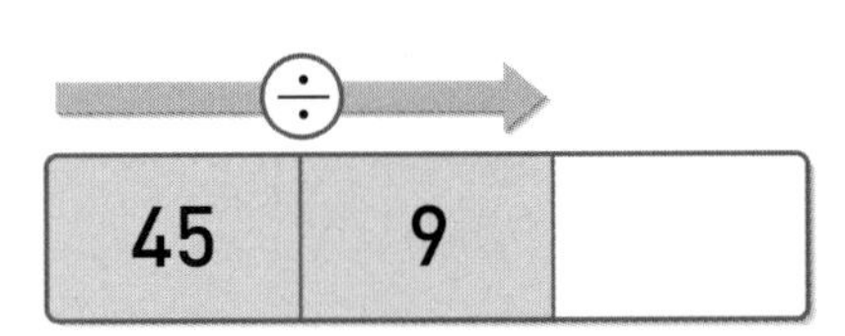

보기와 같이 크기를 비교하여 ○ 안에 >, =, <를 알맞게 써넣으세요.

보기

$42 \div 7$ ⓧ 7 (< in the circle)

└ 몫: 6

2-1 $18 \div 2$ ○ 8

2-2 $24 \div 8$ ○ 3

2-3 $20 \div 4$ ○ 4

2-4 $16 \div 8$ ○ 4

2-5 $30 \div 5$ ○ 7

제한 시간 | 9분

생활 속 계산

길이가 다음과 같은 철사를 이용하여 모든 변의 길이가 같은 도형을 만들었을 때 한 변의 길이를 구하세요.

3-1

27÷3=□(cm)

3-2

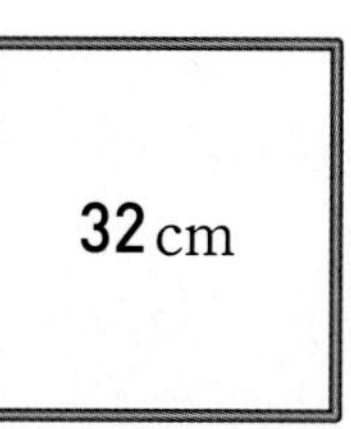

32÷4=□(cm)

3-3

25÷5=□(cm)

3-4

42÷6=□(cm)

문장 읽고 계산식 세우기

4-1 72÷8을 계산할 때 필요한 곱셈식은?

식 8×□=□

4-2 30÷5를 계산할 때 필요한 곱셈식은?

식 5×□=□

4-3 14÷2를 계산할 때 필요한 곱셈식은?

식 2×□=□

4-4 16÷4를 계산할 때 필요한 곱셈식은?

식 4×□=□

(몇십)×(몇) ①

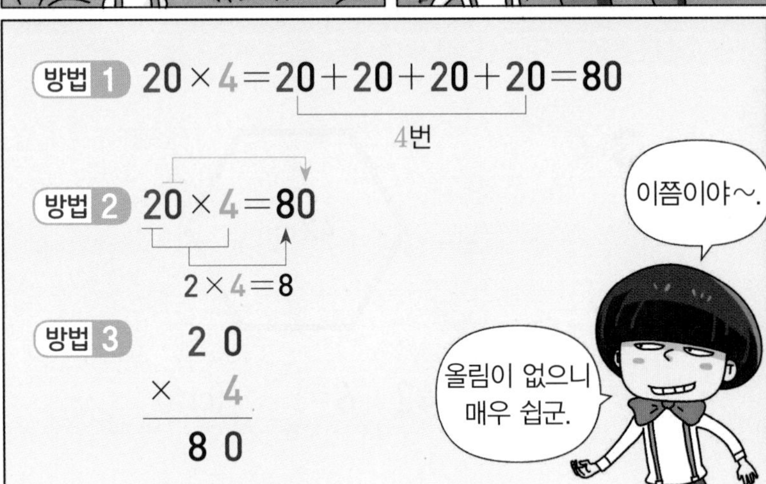

똑똑한 하루 계산법

• 올림이 없는 (몇십) × (몇)

㉠ 20×4의 계산

방법 1 덧셈으로 계산하기

$20 \times 4 = 20 + 20 + 20 + 20 = 80$

방법 2 가로셈으로 계산하기

$20 \times 4 = 80$

$2 \times 4 = 8$

방법 3 세로셈으로 계산하기

$$\begin{array}{r} 2\ 0 \\ \times \quad 4 \\ \hline 8\ 0 \end{array}$$

2와 4의 곱 8을
십의 자리에 쓰고,
일의 자리에 0을 씁니다.

OX 퀴즈

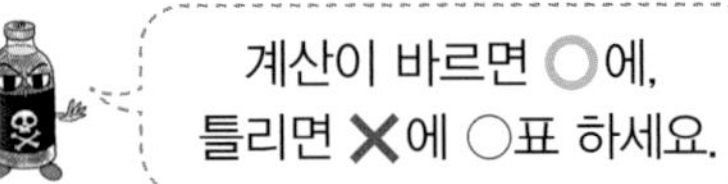

$20 \times 3 = 50$

❶

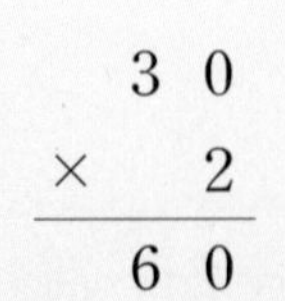

$$\begin{array}{r} 3\ 0 \\ \times \quad 2 \\ \hline 6\ 0 \end{array}$$

❷

정답 ❶ ✕에 ○표 ❷ ○에 ○표

똑똑한 계산 연습

▶정답 및 풀이 10쪽

제한 시간 3분

□ 안에 알맞은 수를 써넣으세요.

1. $20\times2=20+20=\square$

2. $30\times3=30+30+30=\square$

3. $30\times2=\square0$

   $3\times2=\square$

4. $20\times4=\square0$

   $2\times4=\square$

5. $10\times5=\square0$

   $1\times5=\square$

6. $40\times2=\square0$

   $4\times2=\square$

7. $\begin{array}{r} 1\ 0 \\ \times\quad 9 \\ \hline \square \end{array}$

8. $\begin{array}{r} 2\ 0 \\ \times\quad 3 \\ \hline \square \end{array}$

9. $\begin{array}{r} 1\ 0 \\ \times\quad 8 \\ \hline \square \end{array}$

10. $\begin{array}{r} 4\ 0 \\ \times\quad 2 \\ \hline \square \end{array}$

11. $\begin{array}{r} 1\ 0 \\ \times\quad 6 \\ \hline \square \end{array}$

12. $\begin{array}{r} 1\ 0 \\ \times\quad 4 \\ \hline \square \end{array}$

(몇십)×(몇) ②

방법 1 $30\times5=30+30+30+30+30=150$ (5번)

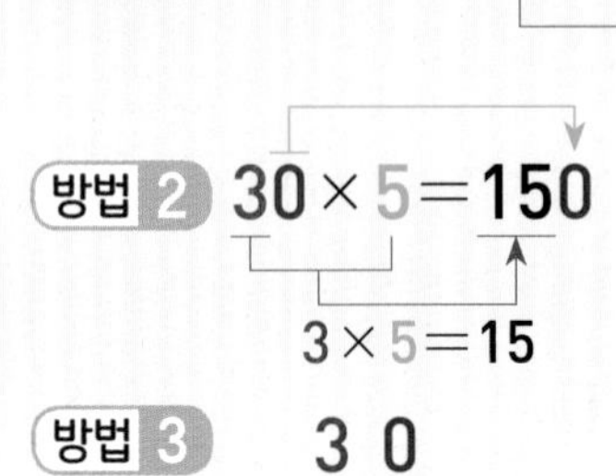

방법 2 $30\times5=150$ ($3\times5=15$)

방법 3

$$\begin{array}{r} 30 \\ \times\ \ 5 \\ \hline 150 \end{array}$$

나를
무시하는군.

올림이 있는
계산도 나에겐
문제가 되지 않아.

똑똑한 하루 계산법

- **올림이 있는 (몇십) × (몇)**

㊀ 30×5의 계산

방법 1 덧셈으로 계산하기

$30\times5=30+30+30+30+30=150$

방법 2 가로셈으로 계산하기

$30\times5=150$

$3\times5=15$

방법 3 세로셈으로 계산하기

$$\begin{array}{r} 30 \\ \times\ \ 5 \\ \hline 150 \end{array}$$

3과 5의 곱 15를
백의 자리, 십의 자리에 쓰고,
일의 자리에 0을 씁니다.

○✕ 퀴즈

계산이 바르면 ○에,
틀리면 ✕에 ○표 하세요.

$90\times6=540$

❶ ○ ✕

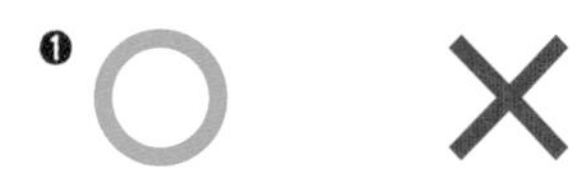

$$\begin{array}{r} 70 \\ \times\ \ 2 \\ \hline 90 \end{array}$$

❷ ○ ✕

정답 ❶ ○에 ○표 ❷ ✕에 ○표

똑똑한 계산 연습

▶정답 및 풀이 10쪽

제한 시간 3분

□ 안에 알맞은 수를 써넣으세요.

1. 50×5
$=50+50+50+50+50$
$=\square$

2. 20×6
$=20+20+20+20+20+20$
$=\square$

3. $30\times4=\square0$
$3\times4=\square$

4. $90\times7=\square0$
$9\times7=\square$

5. $60\times3=\square0$
$6\times3=\square$

6. $50\times5=\square0$
$5\times5=\square$

7. $80\times3=\square$

8. $60\times4=\square$

9. $30\times9=\square$

10. $30\times6=\square$

11. $70\times6=\square$

12. $40\times7=\square$

2주 4일

4일 기초 집중 연습

빈 곳에 알맞은 수를 써넣으세요.

1-1
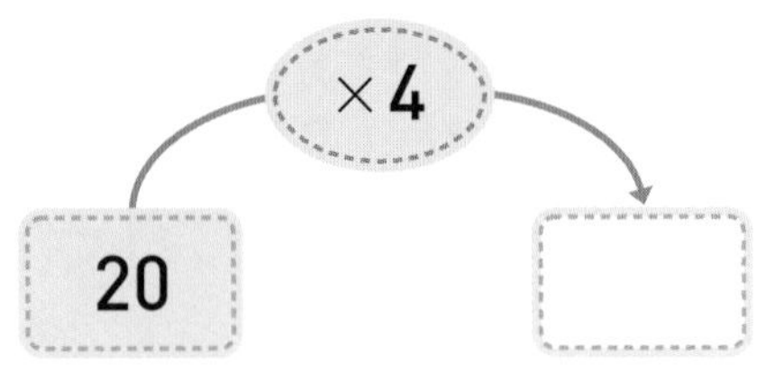

1-2
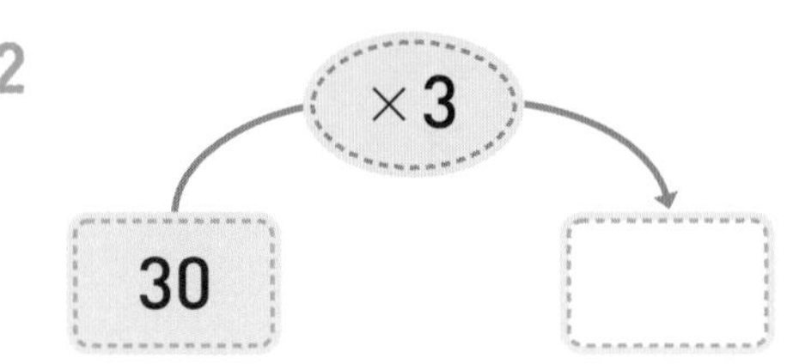

1-3
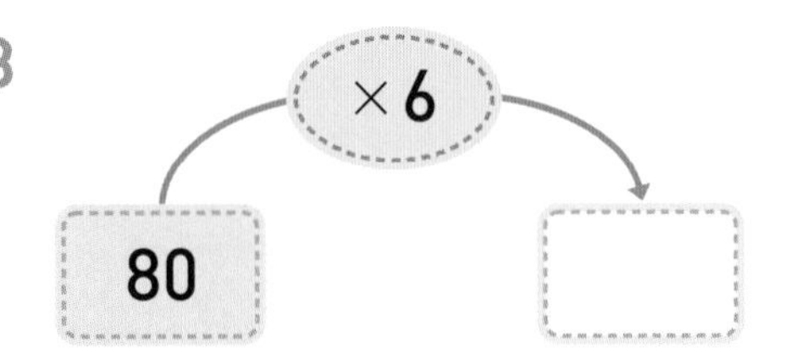

1-4
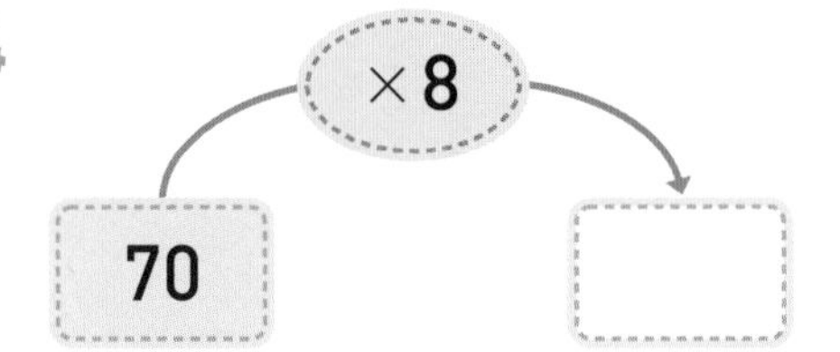

보기와 같이 ▢ 안에 알맞은 수를 써넣으세요.

보기

$$\begin{array}{r} 30 \\ \times \ \boxed{2} \\ \hline 60 \end{array}$$

2-1

$$\begin{array}{r} 20 \\ \times \ \square \\ \hline 60 \end{array}$$

2-2

$$\begin{array}{r} 40 \\ \times \ \square \\ \hline 80 \end{array}$$

2-3

$$\begin{array}{r} 90 \\ \times \ \square \\ \hline 540 \end{array}$$

2-4

$$\begin{array}{r} 50 \\ \times \ \square \\ \hline 250 \end{array}$$

2-5

$$\begin{array}{r} 60 \\ \times \ \square \\ \hline 180 \end{array}$$

제한 시간 9분

생활 속 계산

 여러 가지 물건을 세는 단위를 보고 각 물건의 수를 구하세요.

3-1

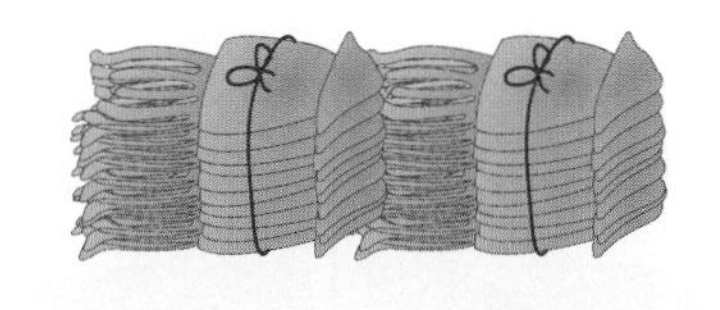

(오징어 한 축)=20마리

⇨ (오징어 3축)=□마리

3-2

(조기 한 두름)=10마리

⇨ (조기 8두름)=□마리

3-3

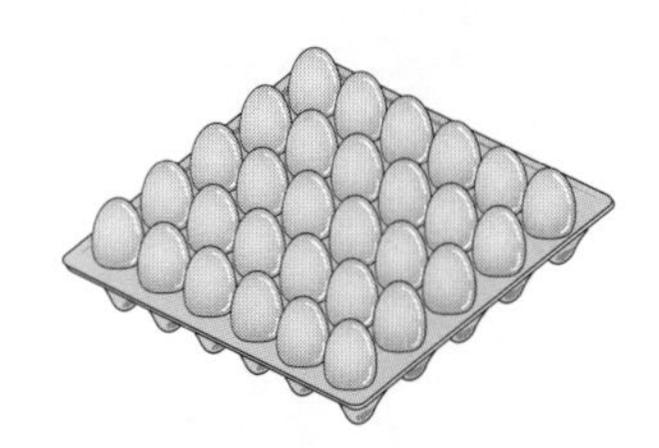

(달걀 한 판)=30개

⇨ (달걀 6판)=□개

3-4

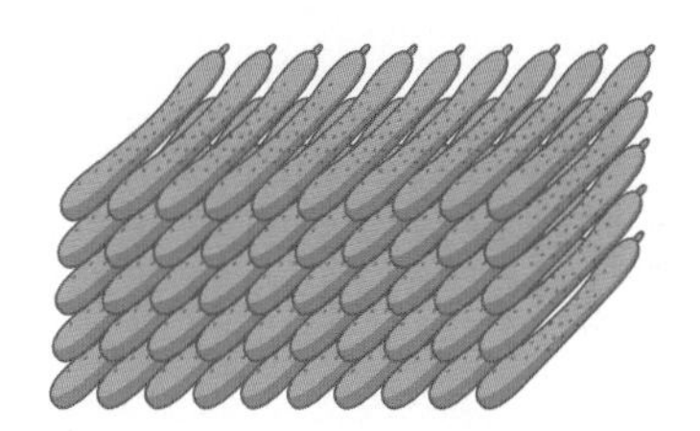

(오이 한 거리)=50개

⇨ (오이 9거리)=□개

문장 읽고 계산식 세우기

4-1 한 판에 10개씩 7판인 달걀은 모두 몇 개?

식 $10 \times 7 =$ □(개)

4-2 한 묶음에 20권씩 4묶음인 공책은 모두 몇 권?

식 □ $\times 4 =$ □(권)

4-3 한 상자에 60개씩 8상자인 귤은 모두 몇 개?

식 □ × □ = □(개)

4-4 한 모둠에 30명씩 5모둠인 학생은 모두 몇 명?

식 □ × □ = □(명)

5일 올림이 없는 (몇십몇)×(몇) ①

똑똑한 하루 계산법

• **올림이 없는 (몇십몇) × (몇)의 세로셈**

예 12×3의 계산

$$\begin{array}{r} 12 \\ \times \quad 3 \\ \hline 6 \end{array} \Rightarrow \begin{array}{r} 12 \\ \times \quad 3 \\ \hline 36 \end{array}$$

일의 자리와 곱한 수는 일의 자리에 씁니다.

십의 자리와 곱한 수는 십의 자리에 씁니다.

OX 퀴즈

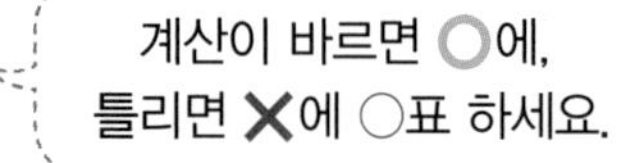

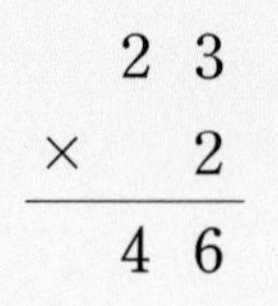

계산이 바르면 ○에, 틀리면 ✕에 ○표 하세요.

$$\begin{array}{r} 23 \\ \times \quad 2 \\ \hline 46 \end{array}$$

○ ✕

정답 ○에 ○표

똑똑한 계산 연습

▶정답 및 풀이 11쪽

제한 시간 3분

▢ 안에 알맞은 수를 써넣으세요.

1

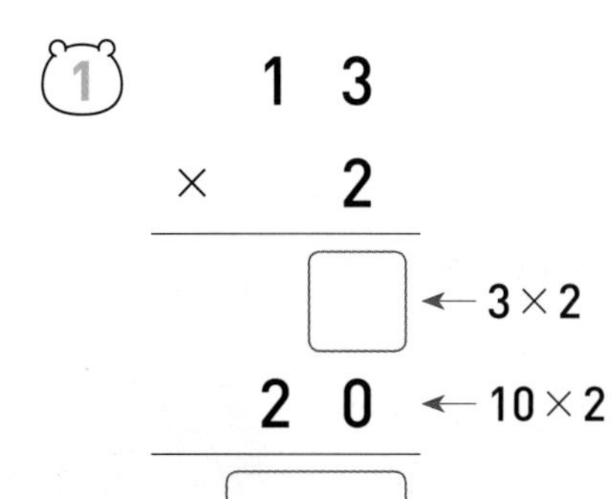

2

3 2
× 3
▢
9 0
▢

3

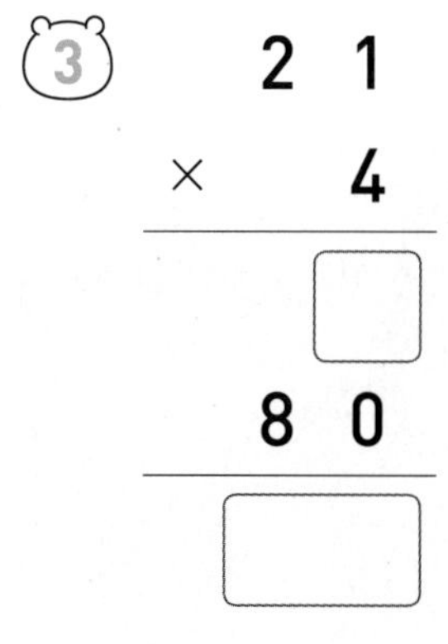

4

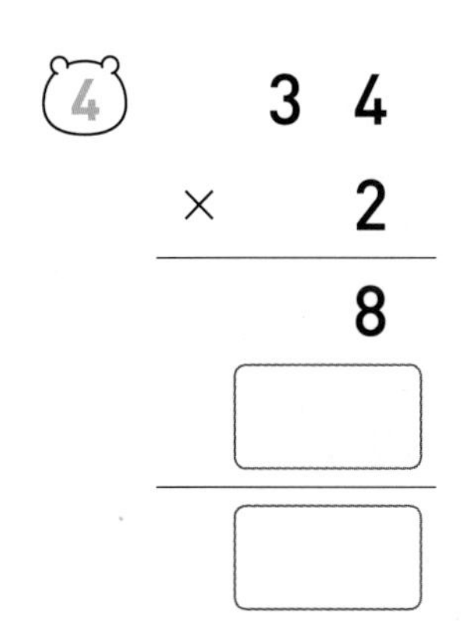

5

1 3
× 3
9
▢
▢

6

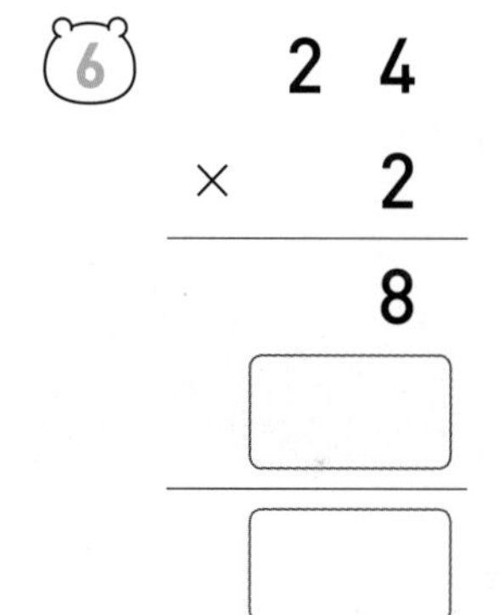

7

2 2
× 4
▢
▢
▢

8

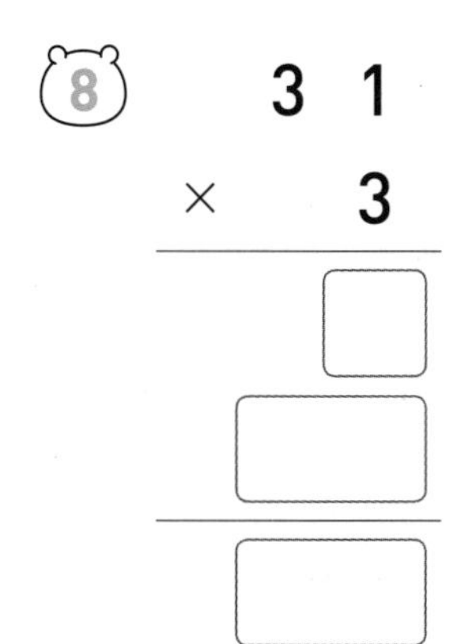

9

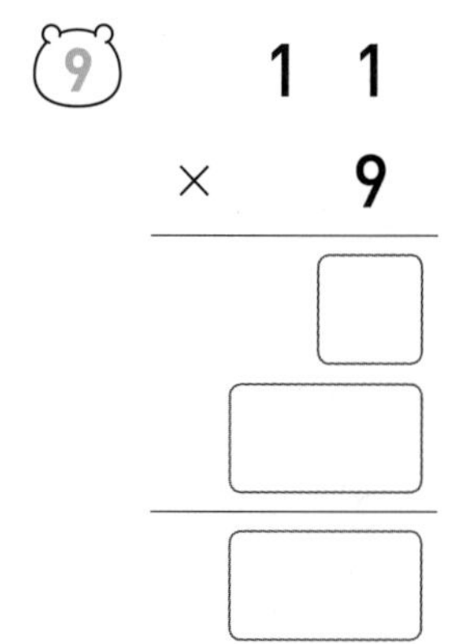

5일 올림이 없는 (몇십몇)×(몇) ②

똑똑한 하루 계산법

• **올림이 없는 (몇십몇) × (몇)의 가로셈**

예 32 × 3의 계산

$$\underset{3\times 3=9}{\overset{2\times 3=6}{32\times 3=96}}$$

32=30+2이므로
32×3은 30×3과 2×3의 합으로
계산합니다.

○✕ 퀴즈

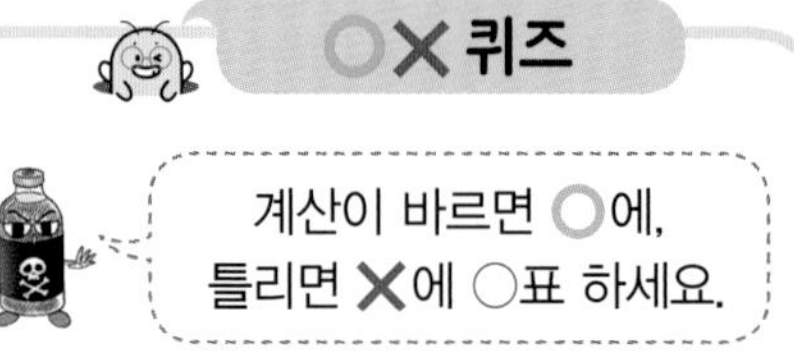

❶ ○ ✕

❷ ○ ✕

정답 ❶ ✕에 ○표 ❷ ○에 ○표

똑똑한 계산 연습

제한 시간 3분

□ 안에 알맞은 수를 써넣으세요.

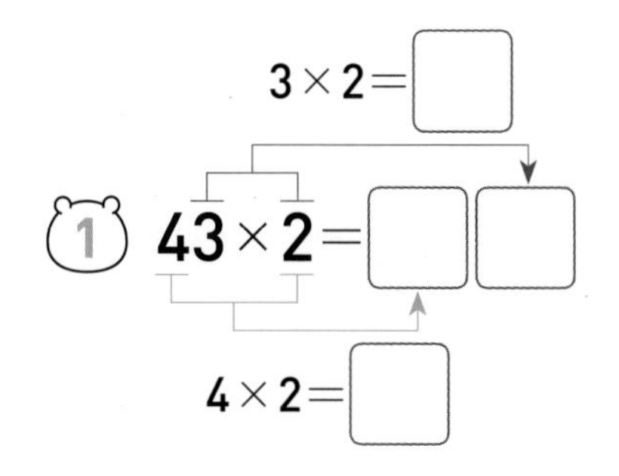

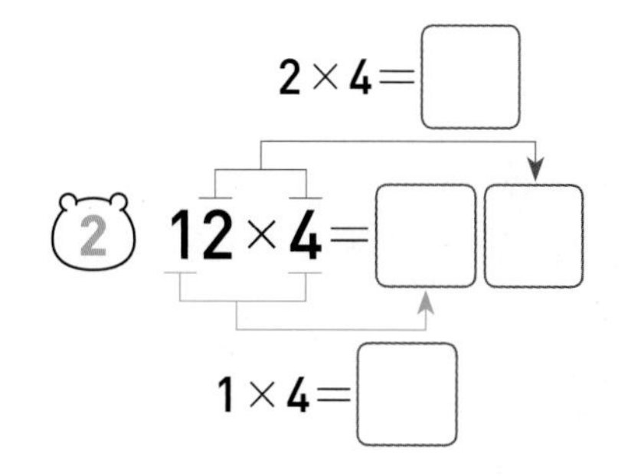

1 × 2 = □

③ 31 × 2 = □□

3 × 2 = □

2 × 2 = □

④ 42 × 2 = □□

4 × 2 = □

4 × 2 = □

⑤ 24 × 2 = □□

2 × 2 = □

1 × 2 = □

⑥ 41 × 2 = □□

4 × 2 = □

2 × 3 = □

⑦ 12 × 3 = □□

1 × 3 = □

4 × 2 = □

⑧ 14 × 2 = □□

1 × 2 = □

5일 기초 집중 연습

□ 안에 알맞은 수를 써넣으세요.

1-1 32 ⇨ ×2 ⇨ □

1-2

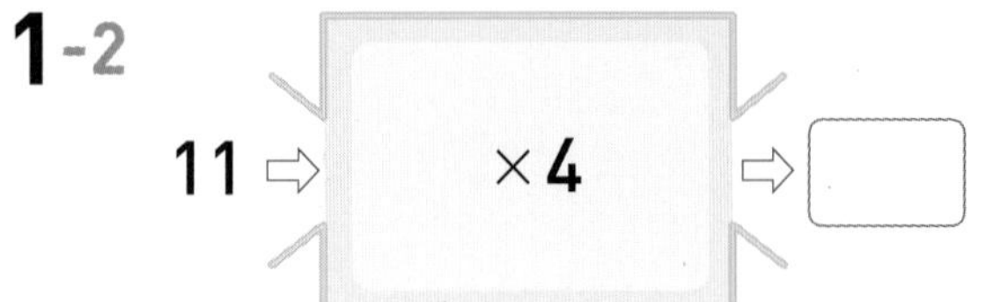

11 ⇨ ×4 ⇨ □

1-3 41 ⇨ ×2 ⇨ □

1-4 23 ⇨ ×3 ⇨ □

보기 와 같이 계산해 보세요.

보기

$$\begin{array}{r} 2\ 4 \\ \times \quad 2 \\ \hline 8 \\ 4\ 0 \\ \hline 4\ 8 \end{array}$$

2-1
$$\begin{array}{r} 3\ 1 \\ \times \quad 3 \\ \hline \end{array}$$

2-2
$$\begin{array}{r} 1\ 4 \\ \times \quad 2 \\ \hline \end{array}$$

2-3
$$\begin{array}{r} 4\ 2 \\ \times \quad 2 \\ \hline \end{array}$$

2-4
$$\begin{array}{r} 2\ 1 \\ \times \quad 4 \\ \hline \end{array}$$

2-5
$$\begin{array}{r} 3\ 2 \\ \times \quad 3 \\ \hline \end{array}$$

제한 시간 9분

생활 속 계산

연필 한 타는 12자루일 때 각 연필의 수를 구하세요.

3-1

$12 \times 1 = \square$(자루)

3-2

$12 \times \square = \square$(자루)

3-3

$\square \times \square = \square$(자루)

3-4

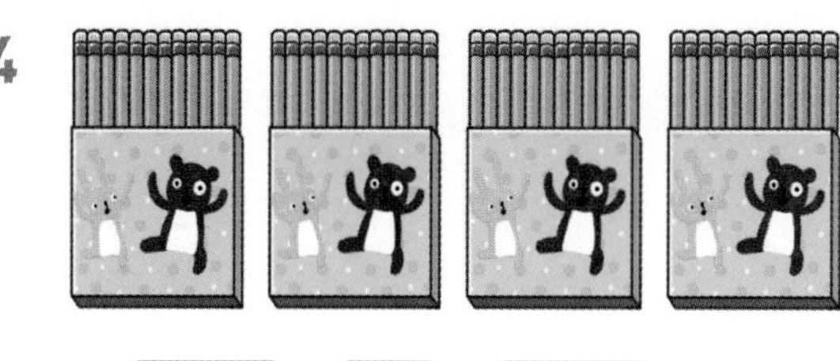

$\square \times \square = \square$(자루)

문장 읽고 계산식 세우기

4-1 사과를 한 상자에 14개씩 2상자에 담으면?

식 $14 \times 2 = \square$(개)

4-2 동화책을 하루에 21쪽씩 이틀 동안 읽으면?

식 $\square \times \square = \square$(쪽)

4-3 바둑돌을 한 통에 32개씩 3통에 담으면?

식 $\square \times \square = \square$(개)

4-4 11살인 오빠의 나이의 7배인 할머니의 연세는?

식 $\square \times \square = \square$(살)

2주 평가 누구나 100점 맞는 TEST

계산해 보세요.

① $30 \div 5$

② $48 \div 6$

③ $56 \div 7$

④ $24 \div 4$

⑤ $54 \div 9$

⑥ $16 \div 8$

⑦ $14 \div 2$

⑧ $15 \div 3$

⑨ $28 \div 7$

⑩ $81 \div 9$

▶정답 및 풀이 11쪽

제한 시간 10분

맞은 개수 / 20개

⑪ 10×6

⑫ 20×4

⑬ 30×7

⑭ 40×9

⑮ $$\begin{array}{r} 2\ 3 \\ \times \quad 3 \\ \hline \end{array}$$

⑯ $$\begin{array}{r} 3\ 2 \\ \times \quad 2 \\ \hline \end{array}$$

⑰ $$\begin{array}{r} 4\ 3 \\ \times \quad 2 \\ \hline \end{array}$$

⑱ $$\begin{array}{r} 1\ 2 \\ \times \quad 4 \\ \hline \end{array}$$

⑲ $$\begin{array}{r} 3\ 4 \\ \times \quad 2 \\ \hline \end{array}$$

⑳ $$\begin{array}{r} 2\ 1 \\ \times \quad 4 \\ \hline \end{array}$$

제한 시간 안에 정확하게
모두 풀었다면 여러분은 진정한 **계산왕!**

창의·융합·코딩

사탕을 나누어 가져라!

트롯 킴이 가져야 할 사탕의 개수를 구하세요.

$18 \div 2 = ■$의 몫 ■는 $2 \times 9 = 18$을 이용해 구할 수 있을 거란다.

내가 가져야 할 사탕은 ☐개이군!

답 ________ 개

▶정답 및 풀이 12쪽

빈 곳에 들어갈 수를 맞혀봐!

규칙을 찾아 빈 곳에 알맞은 수를 구하세요.

14÷2=7, 12÷4=3과 같이 한가운데 수를 빈 곳의 개수로 나눈 몫을 쓰는 규칙이야.

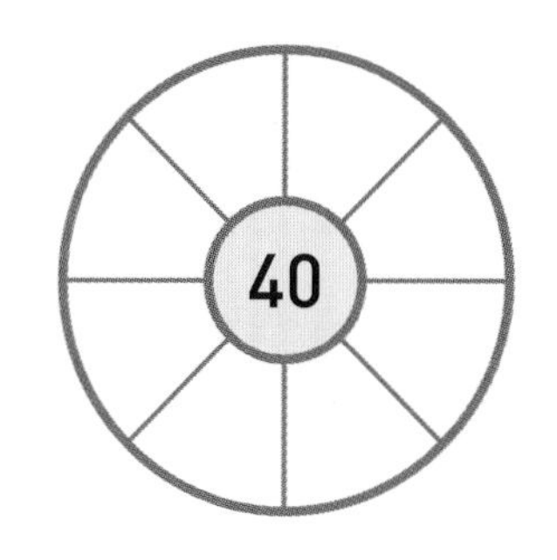

한가운데 수 40을 8칸으로 나눈 몫인

40÷8=☐ 을/를 빈 곳에 써넣으면 돼.

 수현이 어머니의 나이는 몇 살인지 구하세요.

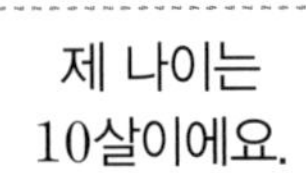

수현

수현이의 오빠

수현이의 어머니

답 ______________ 살

 일정한 규칙으로 모양을 늘어놓았습니다. 32번째에 놓일 모양에 ○표 하세요.

         ……

( , )

▶정답 및 풀이 12쪽

창의 5 산책로의 한 쪽에 처음부터 끝까지 화분 10개를 놓았습니다. 화분 사이의 간격이 11 m로 모두 같다면 산책로의 길이는 몇 m인지 구하세요. (단, 화분의 크기는 생각하지 않습니다.)

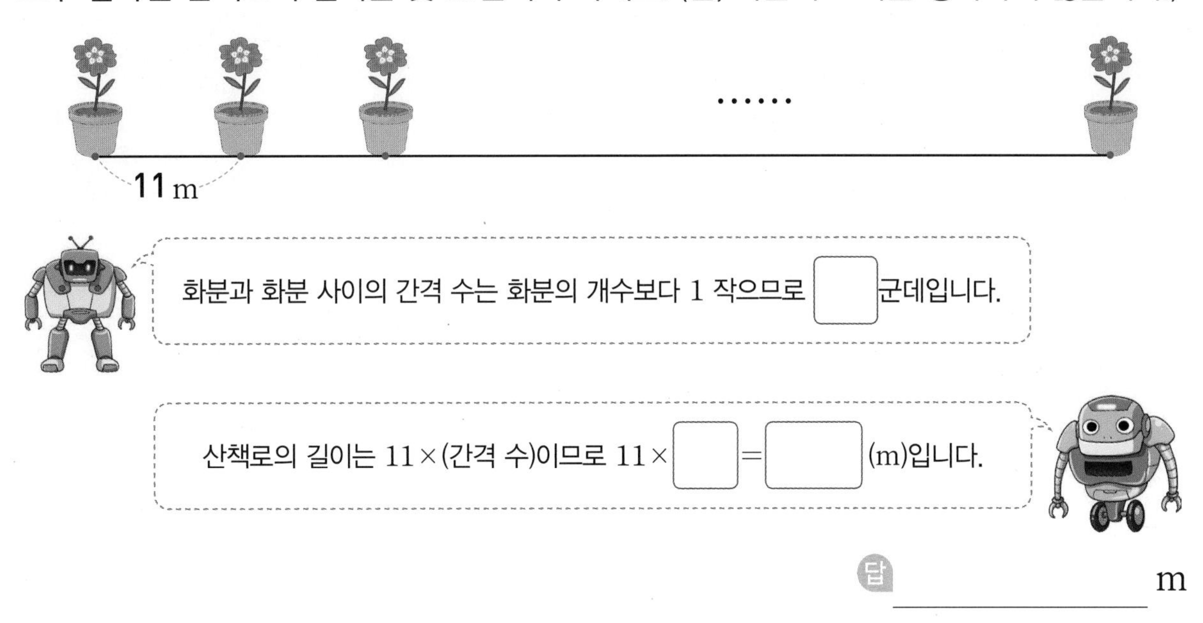

답 ________ m

창의 6 한 장의 길이가 32 cm인 색 테이프 2장을 10 cm가 겹치도록 이어 붙였습니다. 이어 붙인 색 테이프의 전체 길이는 몇 cm인지 구하세요.

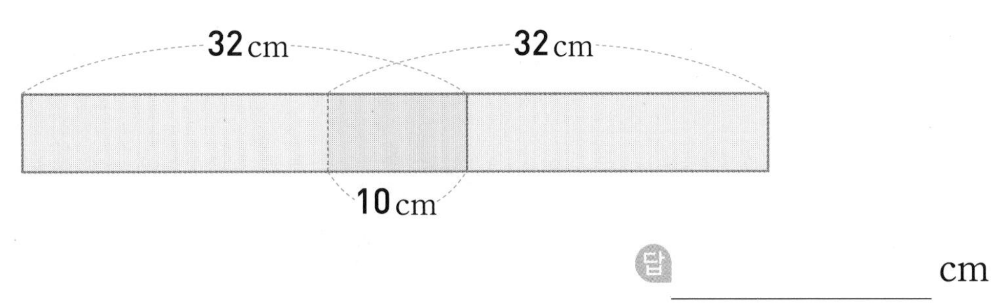

답 ________ cm

코딩 7 보기의 순서도를 보고 순서도에서 ■의 값을 구하여 빈 곳에 써넣으세요.

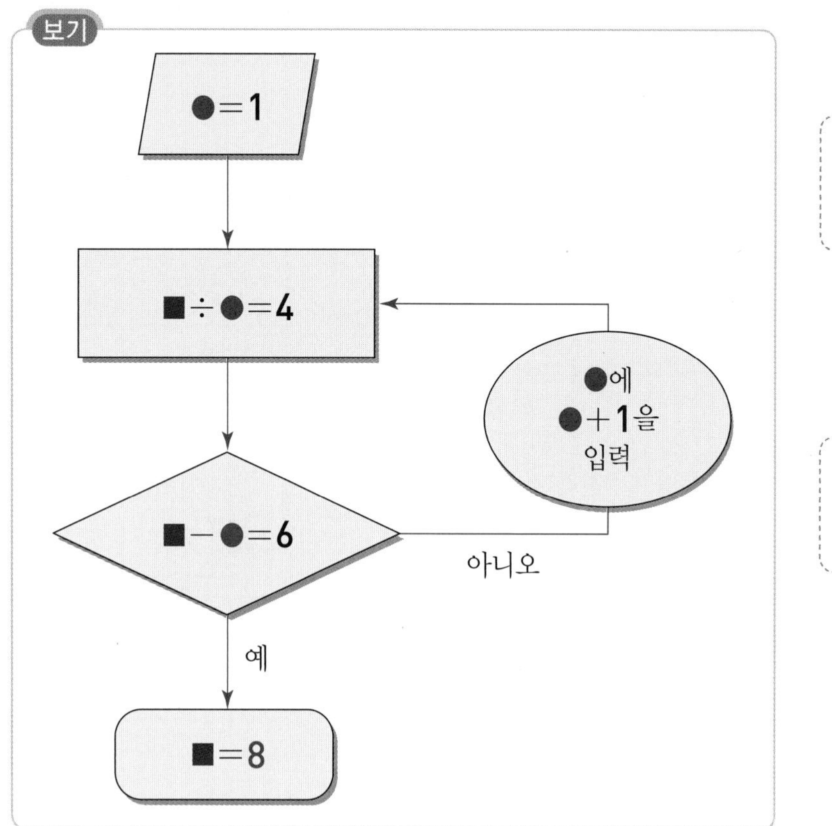

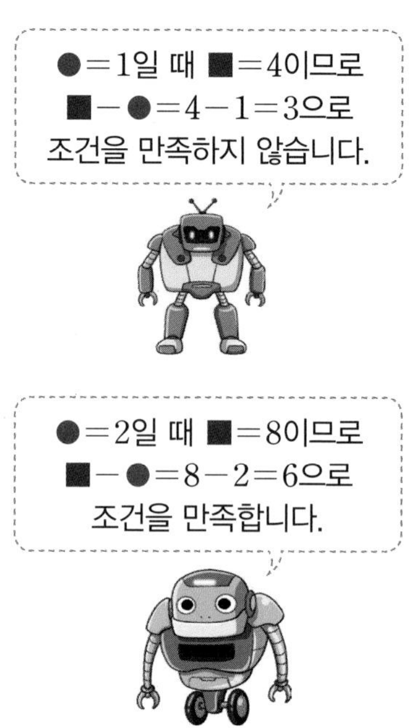

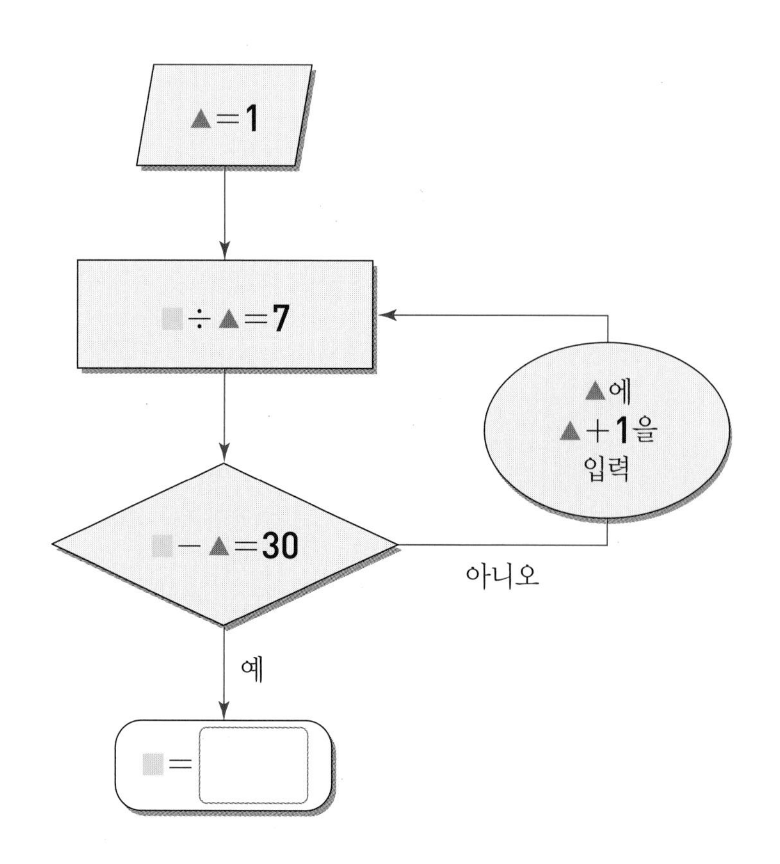

▶정답 및 풀이 12쪽

보기와 같이 3장의 수 카드를 입력하면 한 번씩만 사용하여 곱이 가장 큰 (두 자리 수)×(한 자리 수)를 만들어 주는 로봇이 있습니다. 로봇이 출력한 값을 구하세요.

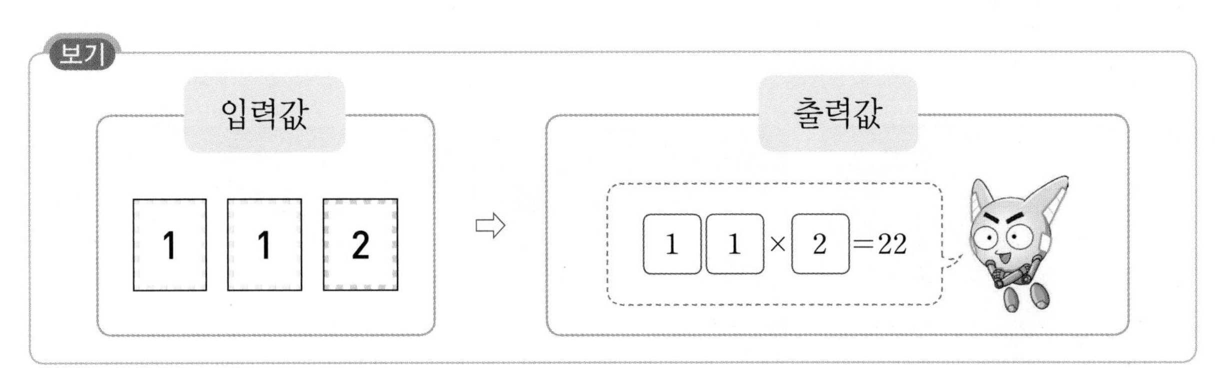

코딩 8

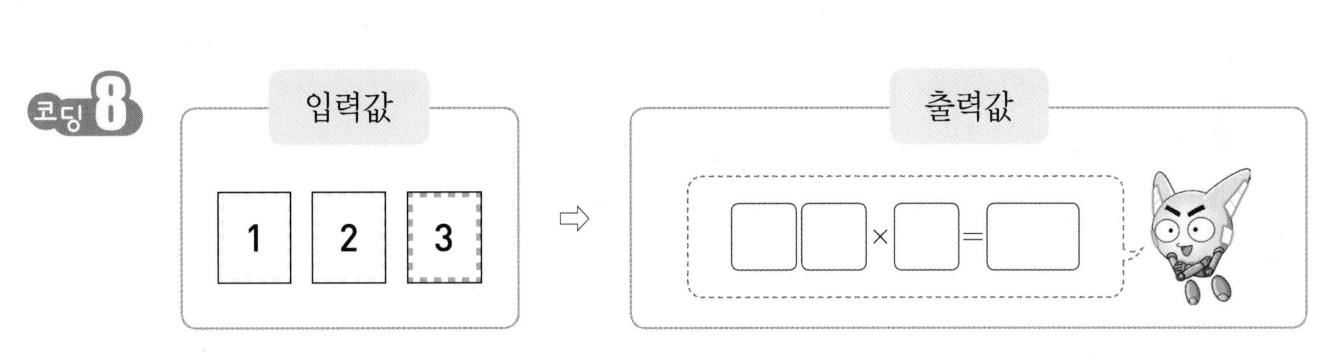

코딩 9

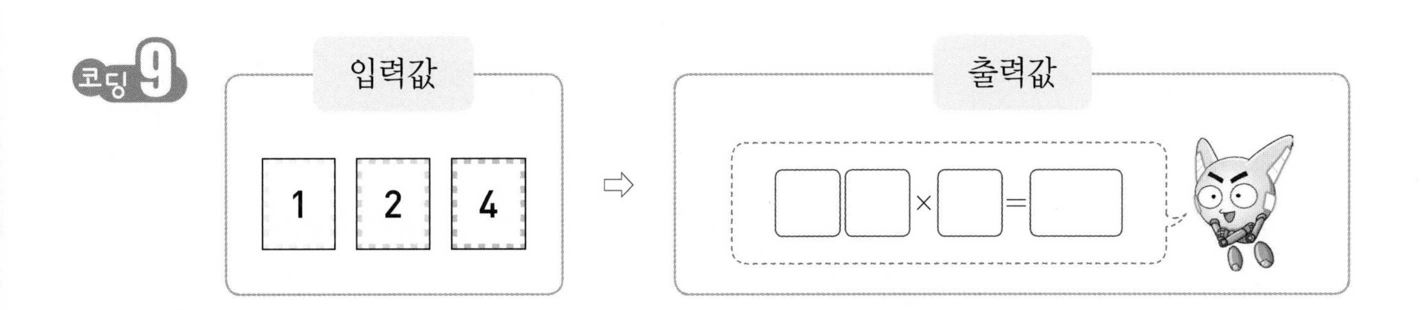

3주

곱셈 (2), 길이와 시간

오늘 밤 따기
체험을 해 봐요.
네~

툭
툭

많이 땄네!
각자 한 봉지에
31개씩 담아 보세요.

1, 2, 3, 4……
103, 104…….
너무 많다.

31개씩 묶어서
세어야지!

31개씩 4묶음이니까
31×4=124(개)예요.

그렇지~!
곱셈을 이용하면 편리하지요?
로진이는?
? ?

란주가 구했잖아요~.

이번에 배울 내용을 알아볼까요? 1

1일 올림이 1번 있는 (몇십몇)×(몇)
2일 올림이 2번 있는 (몇십몇)×(몇)
3일 길이 알아보기
4일 시간 알아보기
5일 시간의 합과 차

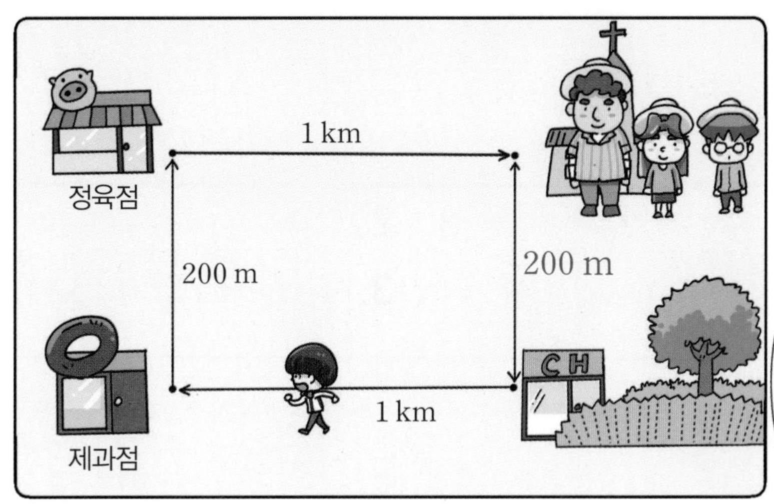

이번에 배울 내용을 알아볼까요? 2

3-1 곱셈

일의 자리와 곱한 수는 일의 자리에 써요.

십의 자리와 곱한 수는 십의 자리에 써요.

계산해 보세요.

1-1

	7	0
×		4

1-2

	2	0
×		3

1-3

	4	2
×		2

1-4

	3	2
×		3

2-2 길이 재기

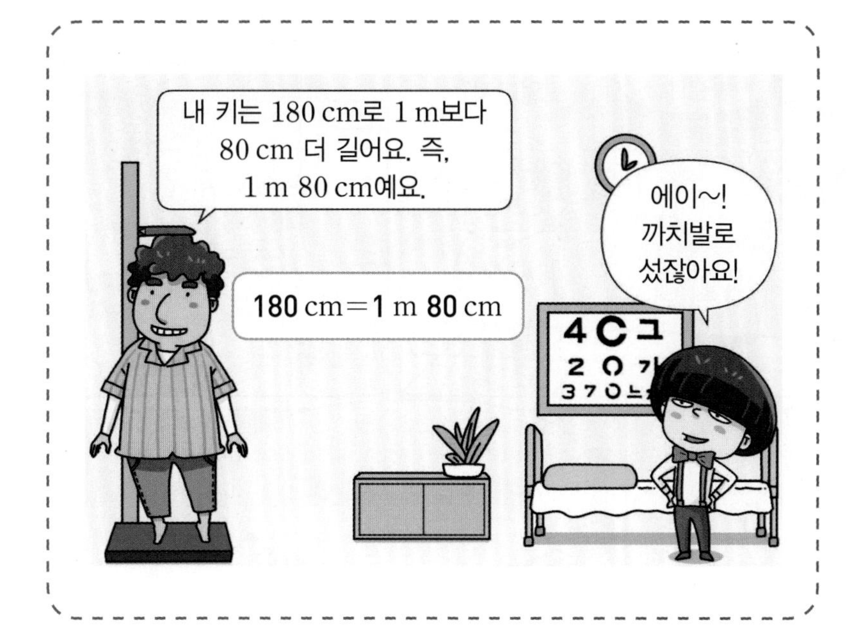

100 cm는 1 m와 같아요.
1 m는 1 미터라고 읽어요.

1 m보다 80 cm 더 긴
길이는 1 m 80 cm예요.
1 m 80 cm는
1 미터 80 센티미터라고
읽어요.

□ 안에 알맞은 수를 써넣으세요.

2-1 150 cm=□ m □ cm

2-2 380 cm=□ m □ cm

2-3 608 cm=□ m □ cm

2-4 2 m 70 cm=□ cm

2-5 4 m 90 cm=□ cm

2-6 5 m 5 cm=□ cm

1일 올림이 1번 있는 (몇십몇)×(몇) ①

똑똑한 하루 계산법

- **십의 자리에서 올림이 있는 (몇십몇)×(몇)**

㉮ 52×3의 계산

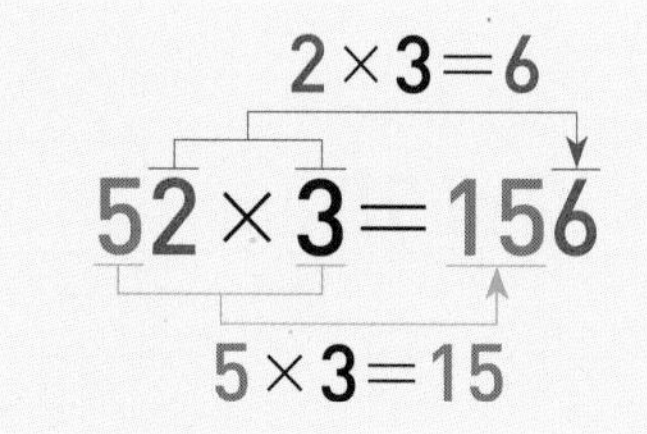

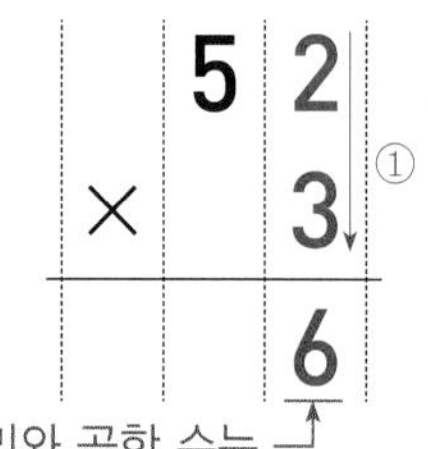

일의 자리와 곱한 수는 일의 자리에 씁니다.

십의 자리와 곱한 수는 십의 자리에 쓰는데 올림이 있으면 백의 자리에 씁니다.

○× 퀴즈

계산이 옳으면 ○에, 틀리면 ×에 ○표 하세요.

$$\begin{array}{r} 61 \\ \times\ \ 2 \\ \hline 122 \end{array}$$

○ ×

정답 ○에 ○표

제한 시간 3분

계산해 보세요.

①

	3	1
×		7

②

	5	1
×		5

③

	4	3
×		3

④

	6	1
×		6

⑤

	5	4
×		2

⑥

	8	2
×		4

⑦

	9	2
×		3

⑧

	7	4
×		2

⑨

	4	3
×		3

⑩ $81 \times 5 =$ ☐

⑪ $72 \times 3 =$ ☐

⑫ $62 \times 3 =$ ☐

⑬ $21 \times 8 =$ ☐

올림이 1번 있는 (몇십몇)×(몇) ②

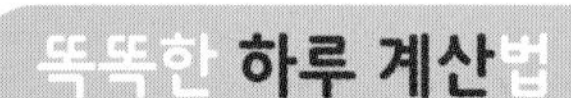

- **일의 자리에서 올림이 있는 (몇십몇)×(몇)**

예 18×3의 계산

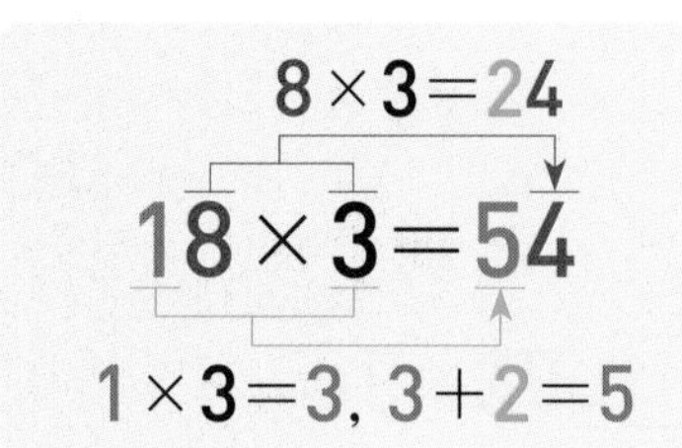

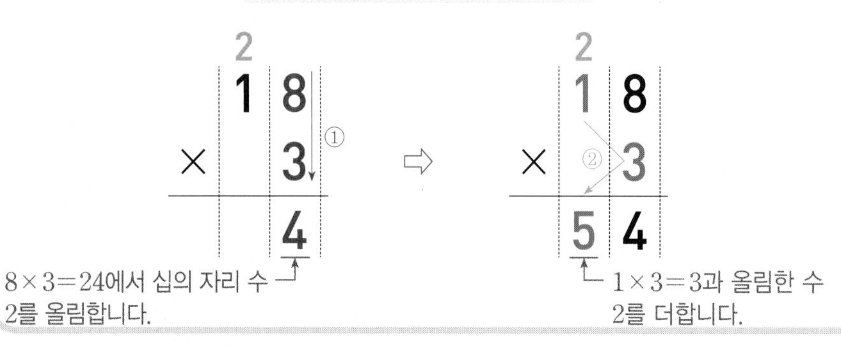

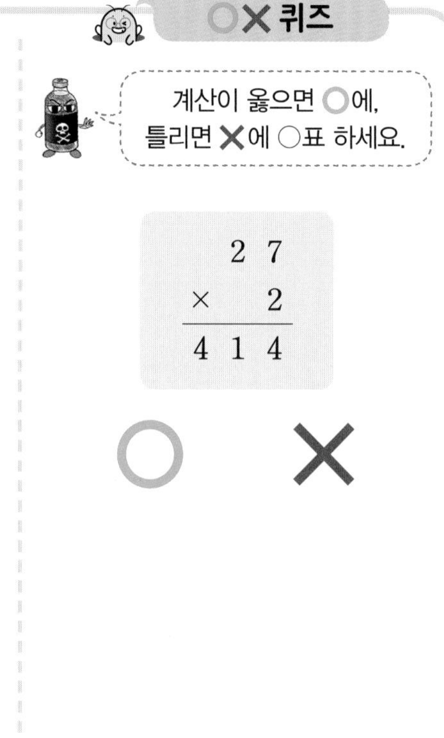

정답 ✕에 ○표

똑똑한 계산 연습

▶정답 및 풀이 13쪽

제한 시간 3분

계산해 보세요.

①

	1	4
×		5

②

	2	9
×		3

③

	3	8
×		2

④

	4	5
×		2

⑤

	1	9
×		4

⑥

	1	6
×		6

⑦

	4	9
×		2

⑧

	2	7
×		3

⑨

	2	3
×		4

⑩ $19 \times 2 = \square$

⑪ $17 \times 4 = \square$

⑫ $24 \times 3 = \square$

⑬ $15 \times 3 = \square$

기초 집중 연습

 빈칸에 알맞은 수를 써넣으세요.

1-1

1-2

92	×4	

1-3

25	×3	

1-4
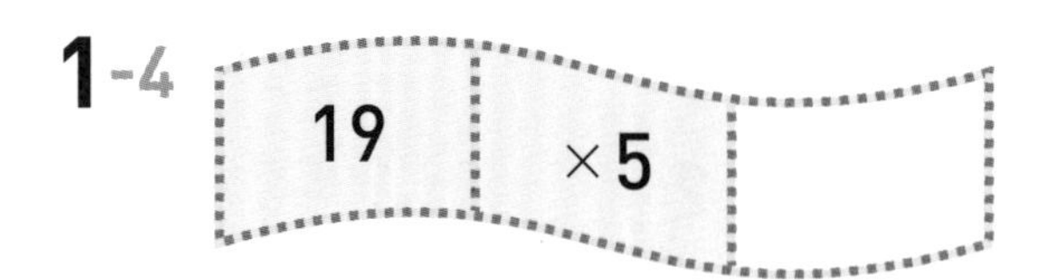

빈칸에 두 수의 곱을 써넣으세요.

2-1

71	7

2-2

42	4

2-3

16	5

2-4

생활 속 계산

문구점에 있는 학용품의 수를 구하세요.

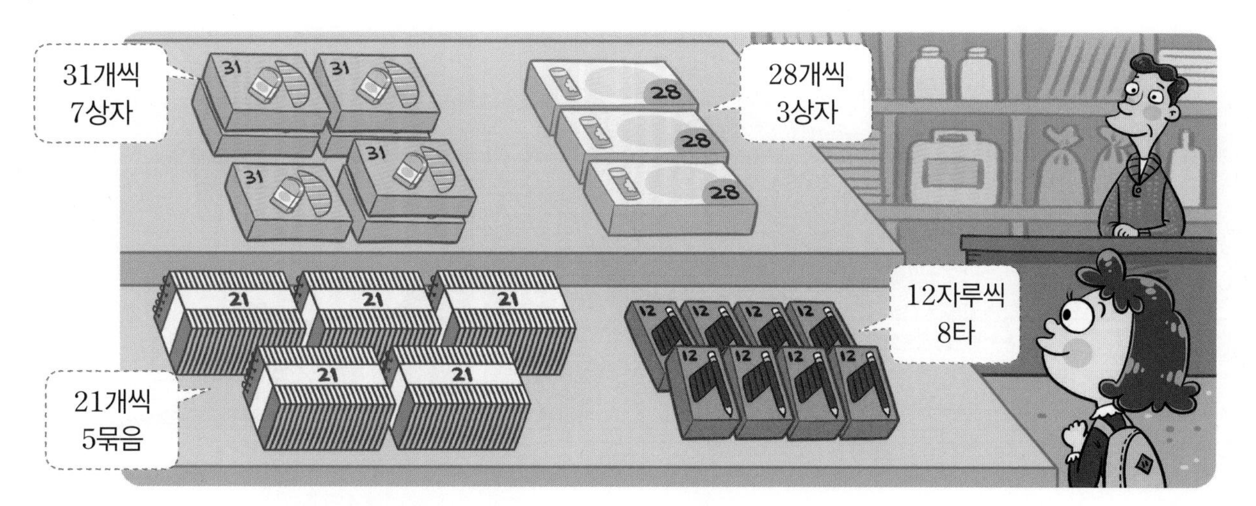

3-1 

31 × □ = □(개)

3-2 

□ × □ = □(개)

3-3 

□ × □ = □(개)

3-4 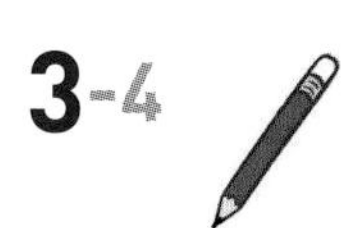

□ × □ = □(자루)

문장 읽고 계산식 세우기

4-1 토마토가 한 상자에 42개씩 4상자 있다면 토마토는 몇 개?

식 42 × □ = □(개)

4-2 국화가 한 다발에 15송이씩 5다발 있다면 국화는 몇 송이?

식 □ × □ = □(송이)

올림이 2번 있는 (몇십몇)×(몇) ①

똑똑한 하루 계산법

• **올림이 2번 있는 (몇십몇)×(몇)의 세로셈**

예 46×3의 계산

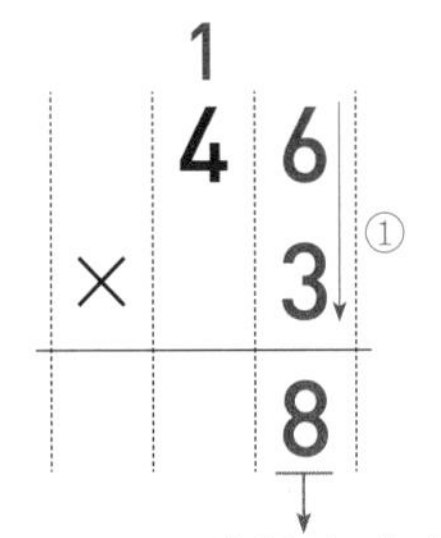

6×3=18의 일의 자리 숫자

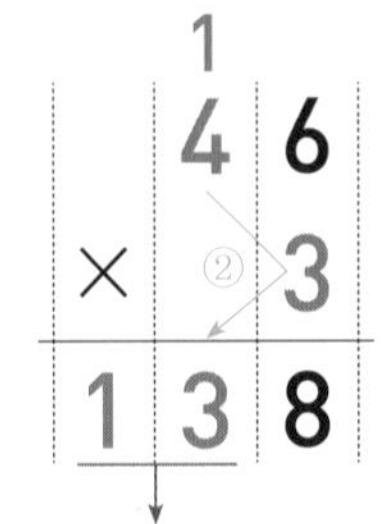

4×3=12에 올림한 수 1을 더하여 십의 자리와 백의 자리를 구합니다.

6×3=18에서 십의 자리 수 1을 올림해!

4×3=12와 올림한 수 1을 더해~.

○✕ 퀴즈

계산이 옳으면 ○에, 틀리면 ✕에 ○표 하세요.

$$\begin{array}{r} 57 \\ \times \quad 2 \\ \hline 114 \end{array}$$

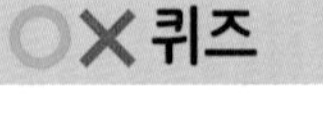

정답 ○에 ○표

똑똑한 계산 연습

▶정답 및 풀이 13쪽

제한 시간 3분

▢ 안에 알맞은 수를 써넣으세요.

①

	▢	
	2	4
×		5
▢	▢	▢

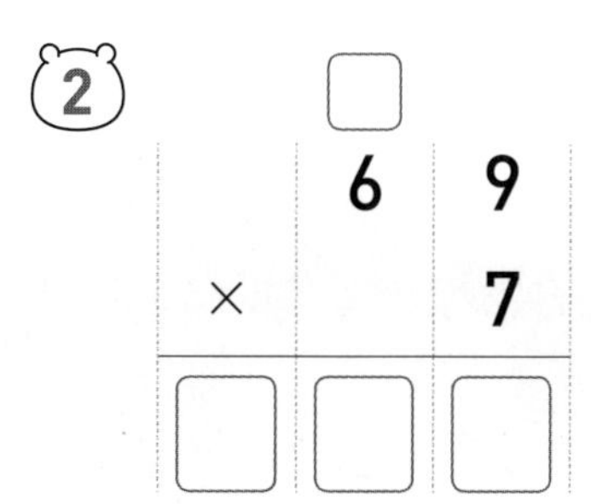

②

	▢	
	6	9
×		7
▢	▢	▢

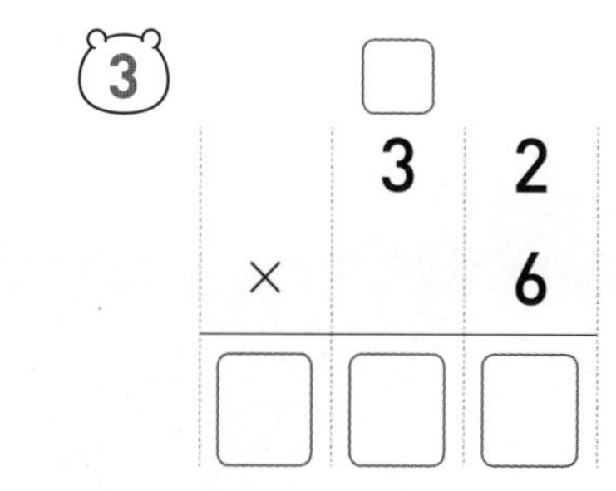

③

	▢	
	3	2
×		6
▢	▢	▢

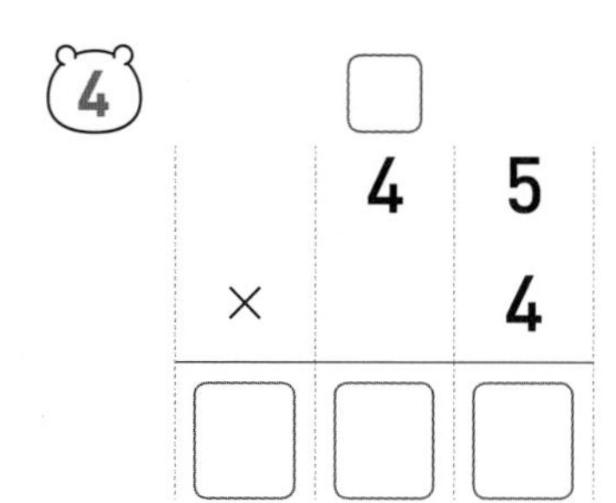

④

	▢	
	4	5
×		4
▢	▢	▢

⑤

	▢	
	1	9
×		9
▢	▢	▢

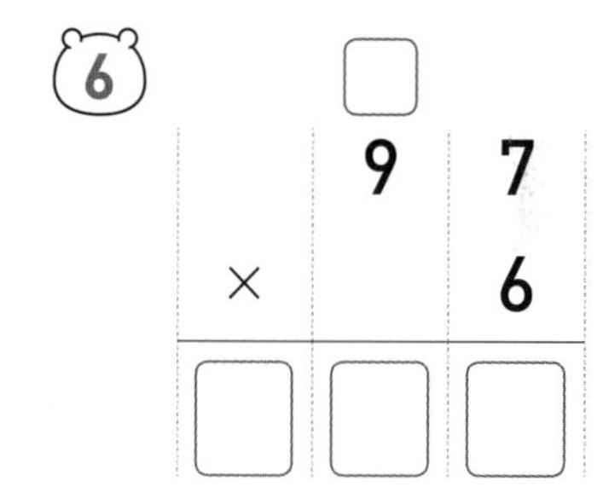

⑥

	▢	
	9	7
×		6
▢	▢	▢

계산해 보세요.

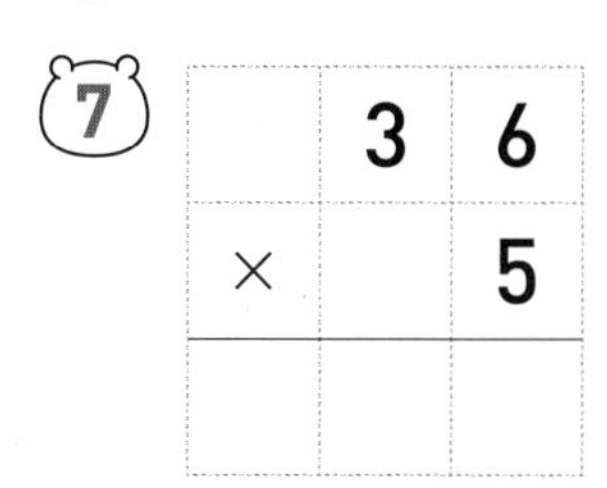

⑦

	3	6
×		5

⑧

	4	9
×		3

⑨

	1	7
×		8

⑩

	5	3
×		9

⑪

	8	3
×		4

⑫

	7	7
×		7

3주 2일

2일 올림이 2번 있는 (몇십몇)×(몇) ②

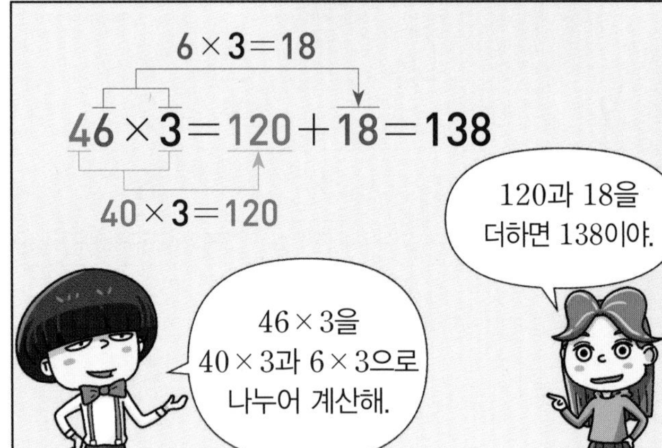

똑똑한 하루 계산법

- **올림이 2번 있는 (몇십몇)×(몇)의 가로셈**

예 46×3의 계산

$$6\times3=18$$
$$46\times3=120+18=138$$
$$40\times3=120$$

46×3을 40×3과
6×3으로 나누어
계산해.

120과 18을
더해~.

OX 퀴즈

계산이 옳으면 ○에,
틀리면 ✕에 ○표 하세요.

32×6=30
2×6=12
3×6=18

○　　✕

정답 ✕에 ○표

똑똑한 계산 연습

▶정답 및 풀이 14쪽

제한 시간 3분

□ 안에 알맞은 수를 써넣으세요.

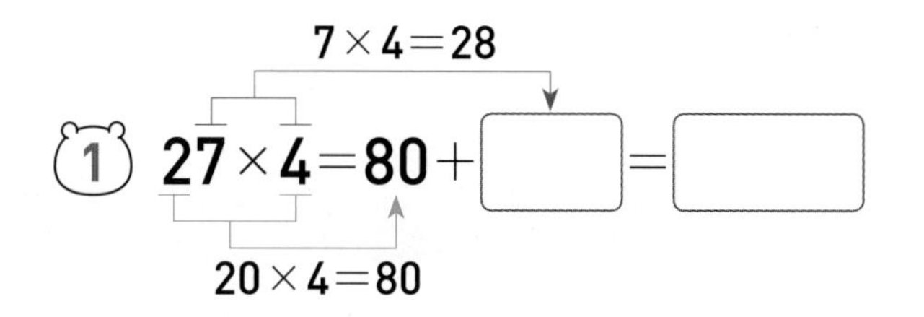

1. $27 \times 4 = 80 + \square = \square$ ($7 \times 4 = 28$, $20 \times 4 = 80$)

2. $69 \times 6 = 360 + \square = \square$ ($9 \times 6 = 54$, $60 \times 6 = 360$)

3. $72 \times 7 = 490 + \square = \square$ ($2 \times 7 = 14$, $70 \times 7 = 490$)

4. $43 \times 5 = 200 + \square = \square$ ($3 \times 5 = 15$, $40 \times 5 = 200$)

계산해 보세요.

5. $38 \times 8 = \square$

6. $55 \times 8 = \square$

7. $76 \times 3 = \square$

8. $35 \times 5 = \square$

9. $95 \times 2 = \square$

10. $44 \times 8 = \square$

11. $68 \times 4 = \square$

12. $82 \times 6 = \square$

13. $77 \times 5 = \square$

2일 기초 집중 연습

빈칸에 알맞은 수를 써넣으세요.

1-1

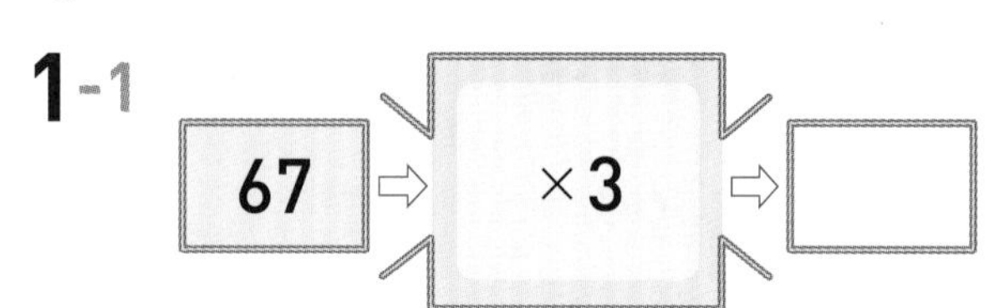

1-2

38 ⇨ ×9 ⇨ □

1-3

59 ⇨ ×2 ⇨ □

1-4

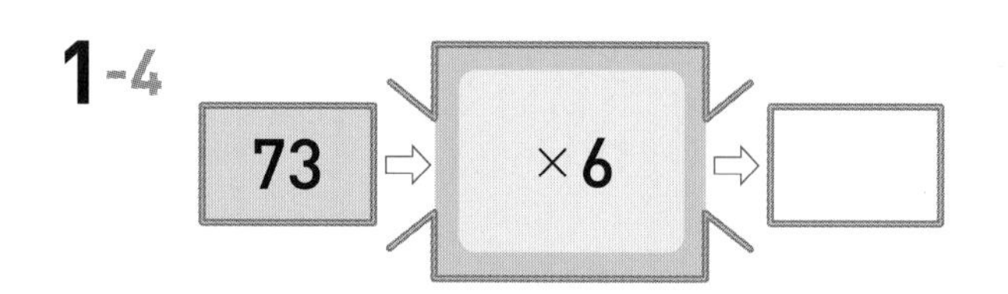

빈칸에 두 수의 곱을 써넣으세요.

2-1

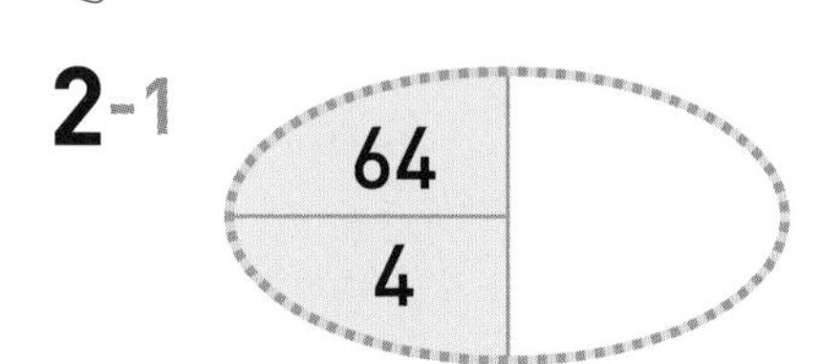

2-2

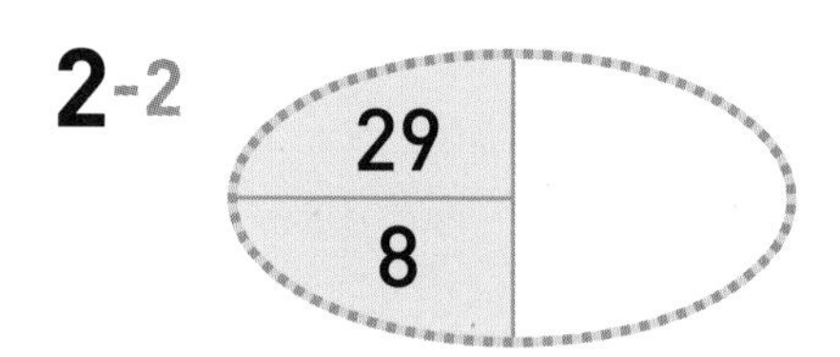

2-3

85
6

2-4

66
8

▶정답 및 풀이 14쪽

제한 시간 9분

생활 속 계산

 **주어진 음식을 섭취했을 때 열량은 몇 킬로칼로리인지 구하세요.**

음식의 에너지의 양인 열량의 단위를 'kcal'라 쓰고 '킬로칼로리'라고 읽어요.

음식				
열량(kcal)	76	93	14	34

3-1

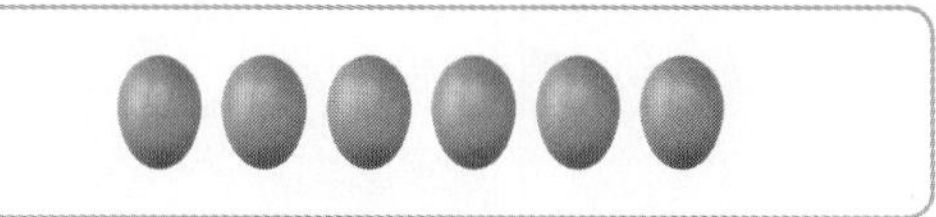

$76 \times \square = \square$ (kcal)

3-2

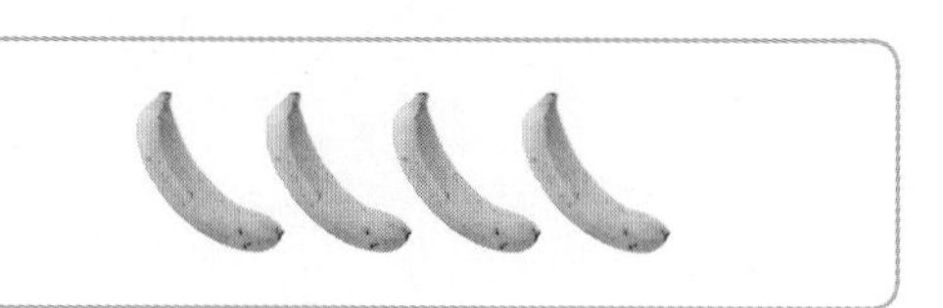

$\square \times \square = \square$ (kcal)

3-3

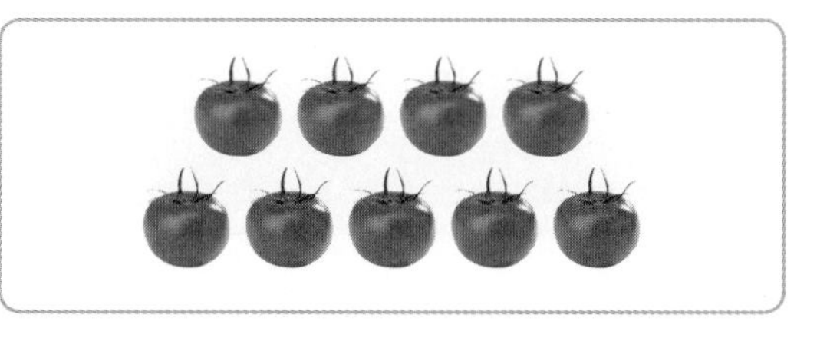

$\square \times \square = \square$ (kcal)

3-4

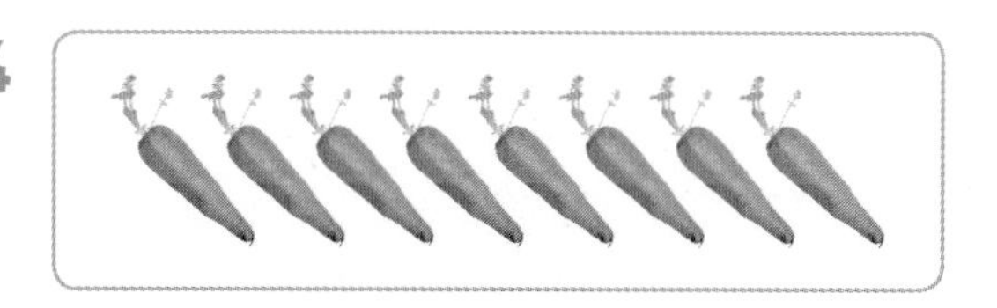

$\square \times \square = \square$ (kcal)

문장 읽고 계산식 세우기

4-1 탁구공이 한 상자에 55개씩 6상자 있다면 탁구공은 모두 몇 개?

식 $\square \times \square = \square$ (개)

4-2 빵이 한 상자에 23개씩 8상자 있다면 빵은 모두 몇 개?

식 $\square \times \square = \square$ (개)

3일 길이 알아보기 ①

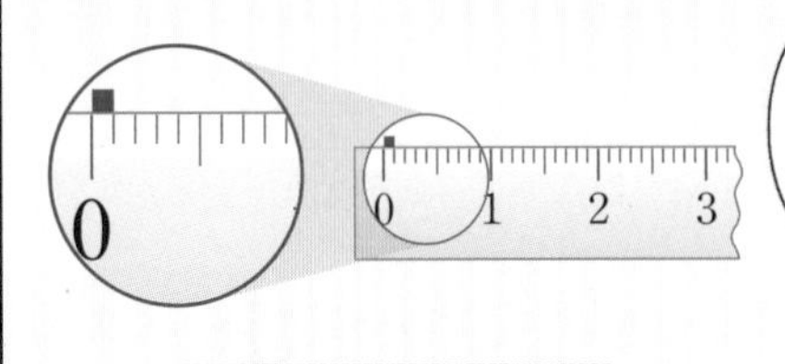

똑똑한 하루 계산법

• 1 cm보다 작은 단위 — 1 mm

쓰기 **1 mm** 읽기 1 밀리미터

1 cm=10 mm

1 mm가 10개이면
1 cm가 됩니다.

• 몇 cm 몇 mm를 몇 mm로 나타내기

예 3 cm보다 7 mm 더 긴 것

쓰기 **3 cm 7 mm**

읽기 3 센티미터 7 밀리미터

3 cm 7 mm=30 mm+7 mm=37 mm

OX 퀴즈

읽은 것이 옳으면 ○에,
틀리면 ✕에 ○표 하세요.

5 mm

5 센티미터

○ ✕

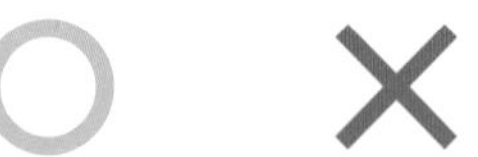

정답 ✕에 ○표

똑똑한 계산 연습

제한 시간 3분

□ 안에 알맞은 수를 써넣으세요.

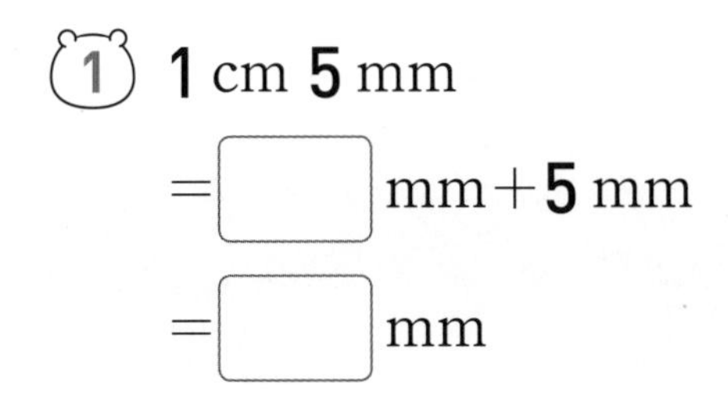

① 1 cm 5 mm
= □ mm + 5 mm
= □ mm

② 5 cm 2 mm
= □ mm + 2 mm
= □ mm

③ 9 cm 5 mm = □ mm

④ 2 cm 9 mm = □ mm

⑤ 6 cm 3 mm = □ mm

⑥ 7 cm 1 mm = □ mm

⑦ 27 mm
= □ mm + 7 mm
= □ cm 7 mm

⑧ 49 mm
= □ mm + □ mm
= □ cm □ mm

⑨ 76 mm = □ cm □ mm

⑩ 64 mm = □ cm □ mm

⑪ 83 mm = □ cm □ mm

⑫ 58 mm = □ cm □ mm

3일 길이 알아보기 ②

똑똑한 하루 계산법

- 1 m보다 큰 단위 — 1 km

 쓰기 1 km   읽기 1 킬로미터

1000 m=1 km

1 m가 1000개이면 1 km가 됩니다.

- 몇 km 몇 m를 몇 m로 나타내기

예 2 km보다 600 m 더 긴 것

쓰기 2 km 600 m

읽기 2 킬로미터 600 미터

2 km 600 m=2000 m+600 m=2600 m

○× 퀴즈

읽은 것이 옳으면 ○에, 틀리면 ×에 ○표 하세요.

7 km

7 킬로미터

 ○    ×

정답 ○에 ○표

똑똑한 계산 연습

□ 안에 알맞은 수를 써넣으세요.

① 1 km 700 m
= □ m + 700 m
= □ m

② 3 km 900 m
= □ m + 900 m
= □ m

③ 5 km 370 m = □ m

④ 9 km 150 m = □ m

⑤ 8 km 20 m = □ m

⑥ 4 km 80 m = □ m

⑦ 2300 m
= □ m + 300 m
= □ km □ m

⑧ 3600 m
= □ m + 600 m
= □ km □ m

⑨ 6130 m = □ km □ m

⑩ 4290 m = □ km □ m

⑪ 5090 m = □ km □ m

⑫ 7050 m = □ km □ m

기초 집중 연습

길이를 비교하여 ○ 안에 >, =, <를 알맞게 써넣으세요.

1-1 3 cm 8 mm ○ 42 mm

1-2 57 mm ○ 5 cm 8 mm

1-3 12 cm 5 mm ○ 30 mm

1-4 120 mm ○ 10 cm 2 mm

1-5 3 km 100 m ○ 2800 m

1-6 7300 m ○ 7 km 30 m

1-7 9 km 90 m ○ 9100 m

1-8 2085 m ○ 2 km 85 m

같은 길이끼리 선으로 이어 보세요.

2-1

3 cm 8 mm •	• 30 mm
8 cm 3 mm •	• 38 mm
	• 83 mm

2-2

5 km 500 m •	• 5000 m
5 km 50 m •	• 5050 m
	• 5500 m

▶정답 및 풀이 15쪽

제한 시간 9분

생활 속 문제

지도를 보고 각 장소 사이의 거리를 몇 km 몇 m로 나타내어 보세요.

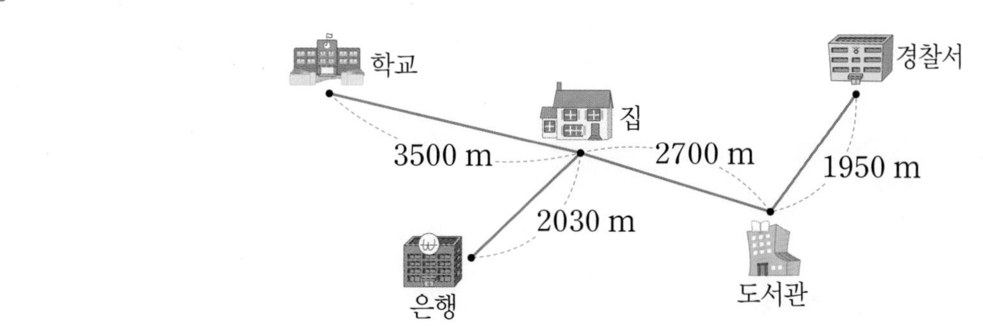

3-1 집~학교

☐ km ☐ m

3-2 집~도서관

☐ km ☐ m

3-3 도서관~경찰서

☐ km ☐ m

3-4 집~은행

☐ km ☐ m

문장 읽고 문제 해결하기

4-1 4 cm보다 9 mm 더 긴 길이는 몇 mm?

답 ______ mm

4-2 7 cm보다 4 mm 더 긴 길이는 몇 mm?

답 ______ mm

4-3 4 km보다 150 m 더 먼 거리는 몇 m?

답 ______ m

4-4 6 km보다 90 m 더 먼 거리는 몇 m?

답 ______ m

시간 알아보기 ①

똑똑한 하루 계산법

- 1분보다 작은 단위

(1) **1초**: 초바늘이 작은 눈금 한 칸을 가는 동안 걸리는 시간

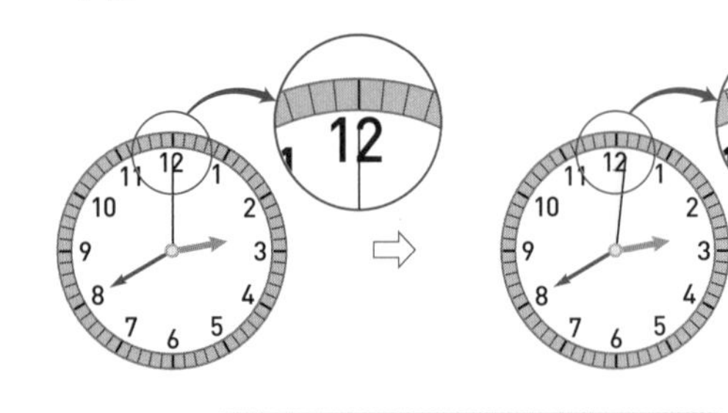

작은 눈금 한 칸=**1**초

(2) **60초**: 초바늘이 시계를 한 바퀴 도는 데 걸리는 시간

60초=**1**분

OX 퀴즈

설명이 옳으면 ○에, 틀리면 ✕에 ○표 하세요.

60분은 1초입니다.

정답 ✕에 ○표

▶정답 및 풀이 15쪽

제한 시간 3분

시각을 읽어 보세요.

1

☐시 20분 ☐초

2

☐시 30분 ☐초

3

3시 ☐분 ☐초

4

7시 ☐분 ☐초

5

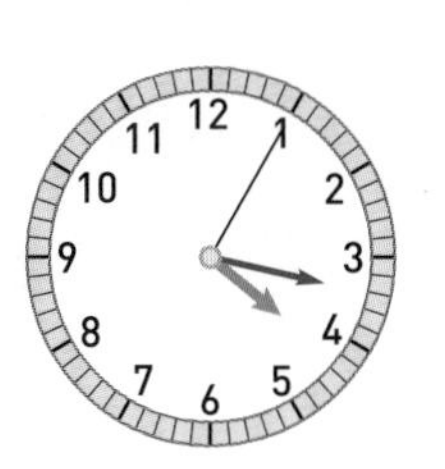

☐시 ☐분 ☐초

6

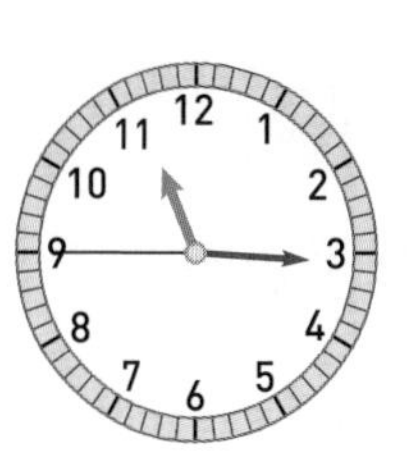

☐시 ☐분 ☐초

7

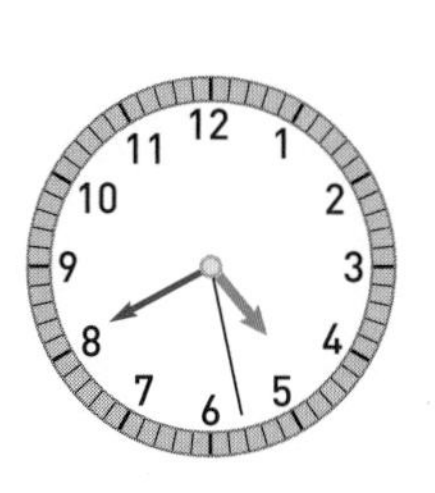

☐시 ☐분 ☐초

8

☐시 ☐분 ☐초

시간 알아보기 ②

1분 10초를 몇 초로 나타내기

1분 10초=60초+10초=70초

1분=60초임을 이용해요.

똑똑한 하루 계산법

• **몇 분 몇 초로 나타내기**

예 100초를 몇 분 몇 초로 나타내기

100초=60초+40초=1분 40초

• **몇 초로 나타내기**

예 1분 20초를 몇 초로 나타내기

1분 20초=60초+20초=80초

60초=1분임을 이용해요.

OX 퀴즈

설명이 옳으면 ○에, 틀리면 ✕에 ○표 하세요.

❶ 2분은 120초입니다.

○ ✕

❷ 140초는 1분 40초입니다.

○ ✕

정답 ❶ ○에 ○표 ❷ ✕에 ○표

▶정답 및 풀이 16쪽

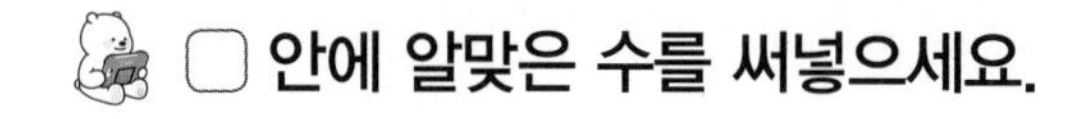

제한 시간 3분

□ 안에 알맞은 수를 써넣으세요.

1) 1분 50초 = □초 + 50초
= □초

2) 3분 10초 = □초 + 10초
= □초

3) 2분 30초 = □초

4) 4분 20초 = □초

5) 3분 50초 = □초

6) 5분 40초 = □초

7) 95초 = 60초 + □초
= □분 □초

8) 150초 = □초 + □초
= □분 □초

9) 200초 = □분 □초

10) 310초 = □분 □초

11) 430초 = □분 □초

12) 500초 = □분 □초

기초 집중 연습

시간이 더 긴 쪽에 ○표 하세요.

1-1

2분	130초
(　　)	(　　)

1-2

170초	3분
(　　)	(　　)

1-3

3분 30초	200초
(　　)	(　　)

1-4

270초	4분
(　　)	(　　)

1-5

4분 20초	250초
(　　)	(　　)

1-6

320초	3분 50초
(　　)	(　　)

시간이 같은 것끼리 선으로 이어 보세요.

2-1

5분 •

5분 20초 •

• 300초

• 320초

• 520초

2-2

220초 •

280초 •

• 2분 20초

• 3분 40초

• 4분 40초

▶정답 및 풀이 16쪽

제한 시간 9분

생활 속 문제

3 전자레인지를 이용하여 음식을 만드는 데 걸리는 시간입니다. 시간을 2가지로 나타내어 보세요.

달걀찜	고구마 찌기	밥 데우기	만두 찌기
6분 30초	□분 □초	□분 □초	4분 10초
□초	350초	190초	□초

문장 읽고 문제 해결하기

4-1 2분 10초와 같은 시간은 몇 초?

답 ________ 초

4-2 4분 45초와 같은 시간은 몇 초?

답 ________ 초

4-3 220초와 같은 시간은 몇 분 몇 초?

답 ____ 분 ____ 초

4-4 315초와 같은 시간은 몇 분 몇 초?

답 ____ 분 ____ 초

시간의 합

똑똑한 하루 계산법

• 시간의 덧셈

예 8분 10초+15분 25초의 계산
↳ (시간)+(시간)=(시간)

	8분	10초	← (시간)
			+
+	15분	25초	← (시간)
			=
	23분	35초	← (시간)

시는 시끼리, 분은 분끼리, 초는 초끼리 더해~.

예 2시 45분+1시간 30분의 계산
↳ (시각)+(시간)=(시각)

	2시	45분	← (시각)
			+
+	1시간	30분	← (시간)
	3시	75분	
	+1시간 ⬅	−60분	=
	4시	15분	← (시각)

60초는 1분으로, 60분은 1시간으로 받아올림하여 계산해~.

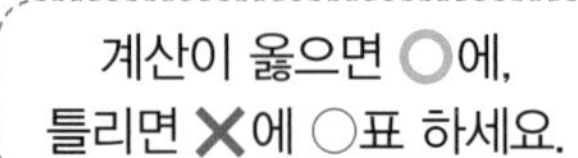

계산이 옳으면 ○에, 틀리면 X에 ○표 하세요.

	1분	20초
+	2분	15초
	3분	35초

정답 ○에 ○표

똑똑한 계산 연습

제한 시간 3분

계산해 보세요.

1

	8 분	20 초
+	2 분	20 초
	□분	□초

2

	□		
	12 분	30 초
+	8 분	45 초
	□분	□초

3

	4 시	15 분
+	2 시간	30 분
	□시	□분

4

	5 시	40 분	5 초
+		17 분	45 초
	□시	□분	□초

5

	□	
	5 시	28 분
+	1 시간	48 분
	□시	□분

6

	□		
	2 시간	30 분	13 초
+	3 시간	45 분	20 초
	□시간	□분	□초

7

		□	
	1 시	37 분	20 초
+	4 시간	15 분	55 초
	□시	□분	□초

8

	□	□	
	4 시간	40 분	55 초
+	2 시간	25 분	40 초
	□시간	□분	□초

5일 시간의 차

똑똑한 하루 계산법

• **시간의 뺄셈**

예 23분 35초−3분 10초의 계산
→ (시간)−(시간)=(시간)

	23분	35초	← (시간)
−	3분	10초	← (시간)
	20분	25초	← (시간)

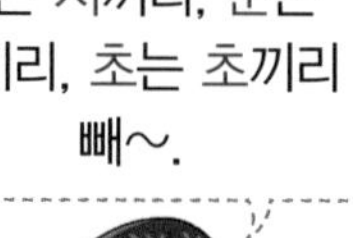

예 4시 10분−1시간 30분의 계산
→ (시각)−(시간)=(시각)

	3	60	
	4시	10분	← (시각)
−	1시간	30분	← (시간)
	2시	40분	← (시각)

1분은 60초로, 1시간은 60분으로 받아내림하여 계산해~.

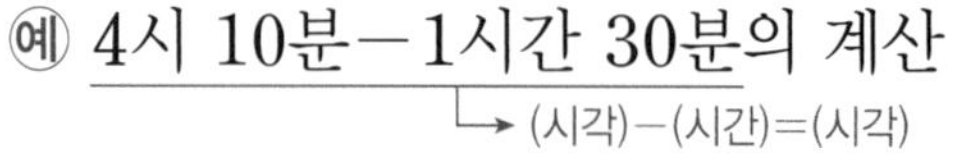

OX 퀴즈

계산이 옳으면 ○에, 틀리면 ✕에 ○표 하세요.

	5분	40초
−	2분	15초
	3분	35초

정답 ✕에 ○표

계산해 보세요.

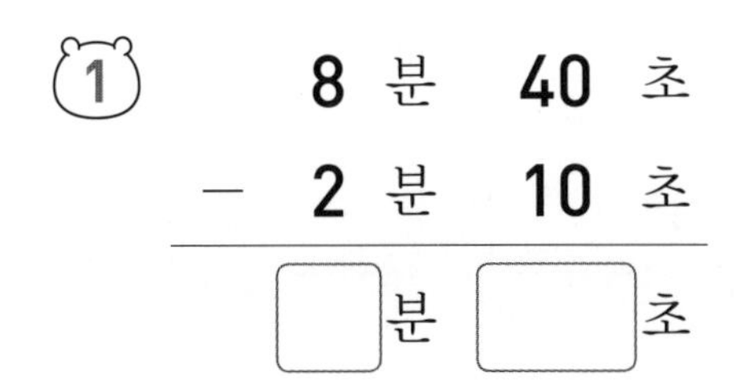

1

		8 분	40 초
−		2 분	10 초
		□분	□초

2

	□	60
	~~23~~ 분	30 초
−	8 분	40 초
	□분	□초

3

	7 시	35 분
−	2 시간	20 분
	□시	□분

4

	9 시	40 분	30 초
−		17 분	5 초
	□시	□분	□초

5

	□	60
	~~5~~ 시간	25 분
−	1 시간	40 분
	□시간	□분

6

		□	60
	6 시	~~45~~ 분	20 초
−	3 시간	30 분	35 초
	□시	□분	□초

7

		□	60
	7 시	~~50~~ 분	20 초
−	4 시간	17 분	55 초
	□시	□분	□초

8

	□	60	
	~~10~~ 시	10 분	50 초
−	2 시	35 분	25 초
	□시간	□분	□초

3주 5일

기초 집중 연습

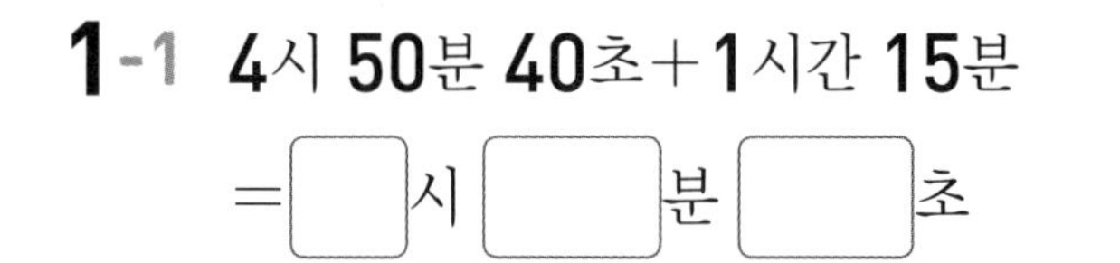

1-2 2시 30분 25초+4시간 10분 45초
=□시 □분 □초

1-3 47분 30초−15분 20초
=□분 □초

1-4 10시 10분 40초−4시 50분 15초
=□시간 □분 □초

2-1 2시 25분 30초

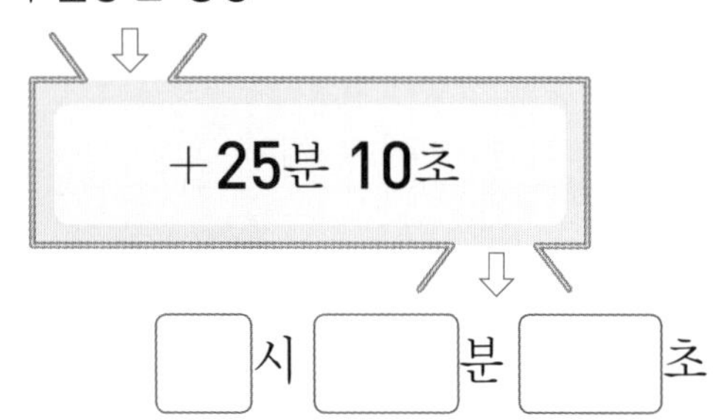

2-2 5시 40분 5초

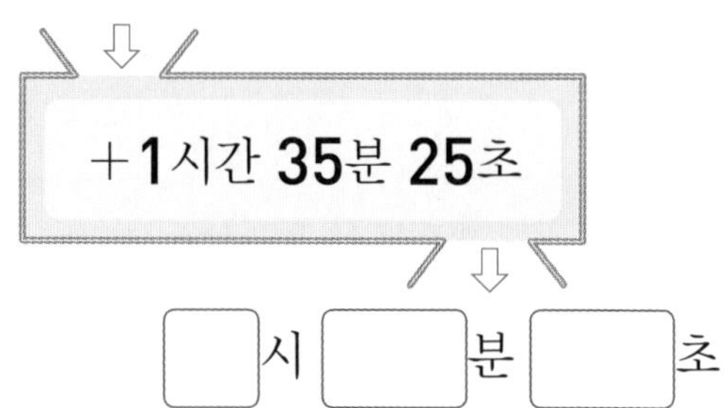

2-3 3시 35분 50초

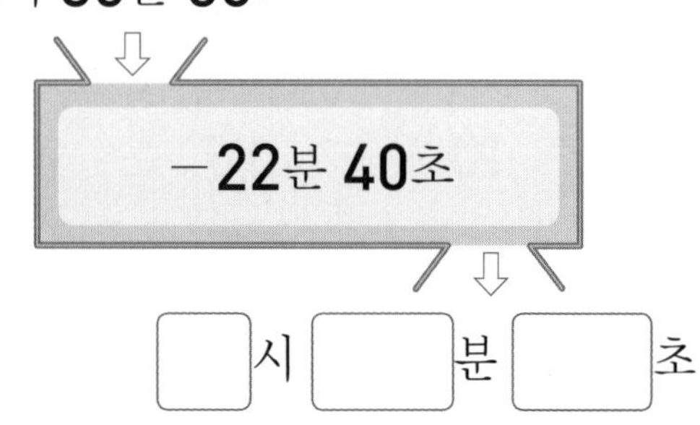

2-4 11시 10분 40초

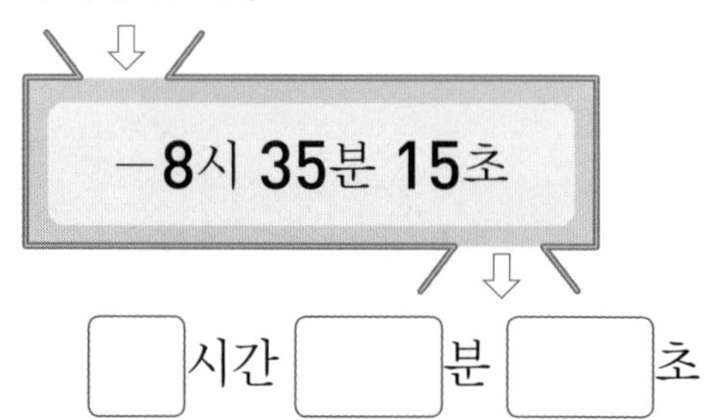

제한 시간 9분

생활 속 계산

빵을 만드는 데 걸리는 시간의 합을 구하세요.

2시간 10분 40초

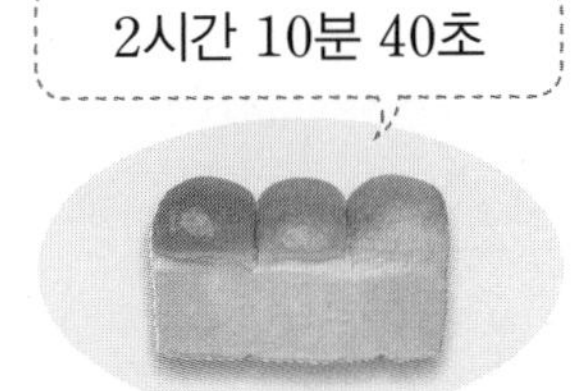

2시간 41분 35초

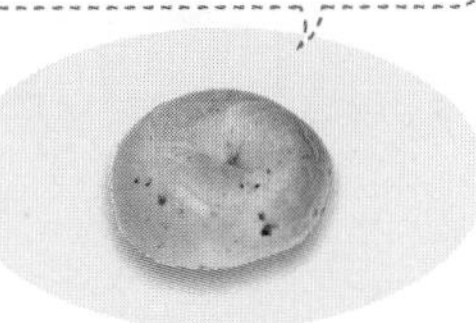

1시간 50분 30초

58분 55초

3-1 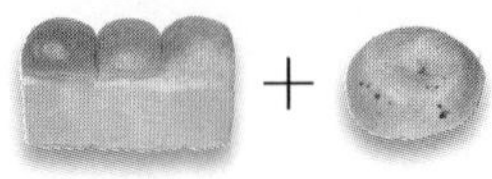

□시간 □분 □초

3-2 

□시간 □분 □초

3-3 

□시간 □분 □초

3-4 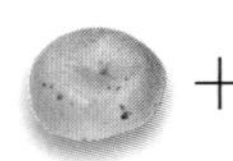

□시간 □분 □초

문장 읽고 계산식 세우기

4-1 책 읽기를 3시 42분에 시작하여 1시간 28분 동안 읽었다면 책 읽기를 끝낸 시각은 몇 시 몇 분?

식 3시 42분+□시간 □분

=□시 □분

4-2 피아노 치기를 4시 45분에 시작하여 7시 10분에 끝마쳤다면 피아노를 친 시간은 몇 시간 몇 분?

 7시 10분−□시 □분

=□시간 □분

3주 5일

누구나 100점 맞는 TEST

계산해 보세요.

❶

	5	3
×		2

❷

	8	3
×		3

❸

	1	7
×		5

❹

	2	8
×		3

❺

	7	5
×		6

❻

	4	7
×		5

□ 안에 알맞은 수를 써넣으세요.

❼ 3 cm 1 mm = □ mm

❽ 72 mm = □ cm □ mm

❾ 5 km 250 m = □ m

❿ 9040 m = □ km □ m

□ 안에 알맞은 수를 써넣으세요.

⑪ 2분 20초=□초

⑫ 3분 45초=□초

⑬ 190초=□분 □초

⑭ 305초=□분 □초

계산해 보세요.

⑮

	9 분	35 초
+	10 분	20 초
	□분	□초

⑯

	2 시	55 분
+	1 시간	30 분
	□시	□분

⑰

	5 시	25 분	25 초
+	1 시간	28 분	45 초
	□시	□분	□초

⑱

	25 분	40 초
−	11 분	25 초
	□분	□초

⑲

	6 시	15 분
−	3 시간	50 분
	□시	□분

⑳

	7 시	20 분	20 초
−	2 시	15 분	45 초
	□시간	□분	□초

제한 시간 안에 정확하게
모두 풀었다면 여러분은 진정한 **계산왕!**

창의·융합·코딩

환율이 뭘까?

환율이란 외국 돈을 사는 데 우리나라 돈으로 얼마를 줘야 하는지 알아보는 것입니다.

어느 날 멕시코에서 4페소는 우리나라 돈으로 얼마일까요?

멕시코		대한민국
4페소	=	?
1페소		55원

1페소가 55원이니까 4페소는 55원의 4배예요.

답 ______ 원

▶정답 및 풀이 18쪽

세계의 시간 차이(시차)

시차는 세계 표준시를 기준으로 하여 정한 세계 각 지역의 시간 차이를 말합니다.

(1)

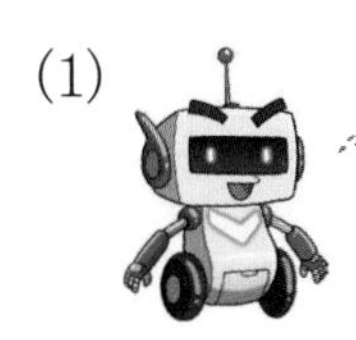

한국이 오후 5시 25분 40초일 때 방콕의 시각은 오후 몇 시 몇 분 몇 초입니까?

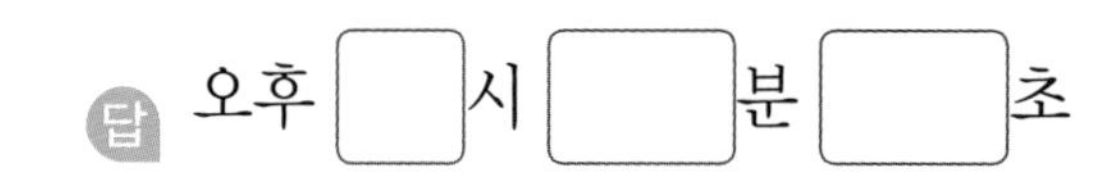

답 오후 □시 □분 □초

(2)

한국이 오후 9시 37분 25초일 때 파리의 시각은 오후 몇 시 몇 분 몇 초입니까?

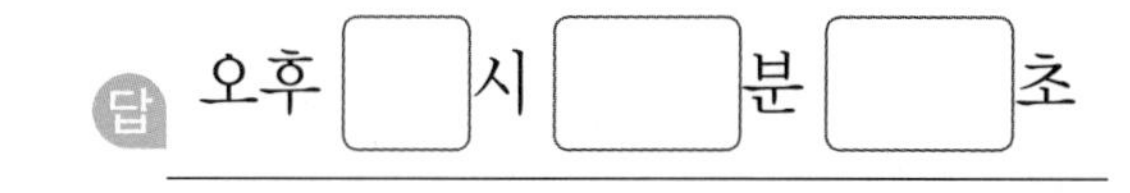

답 오후 □시 □분 □초

3주 특강

특강 창의·융합·코딩

 기상캐스터가 어느 날 지역별 최고로 내리는 비의 양을 보도하고 있습니다.

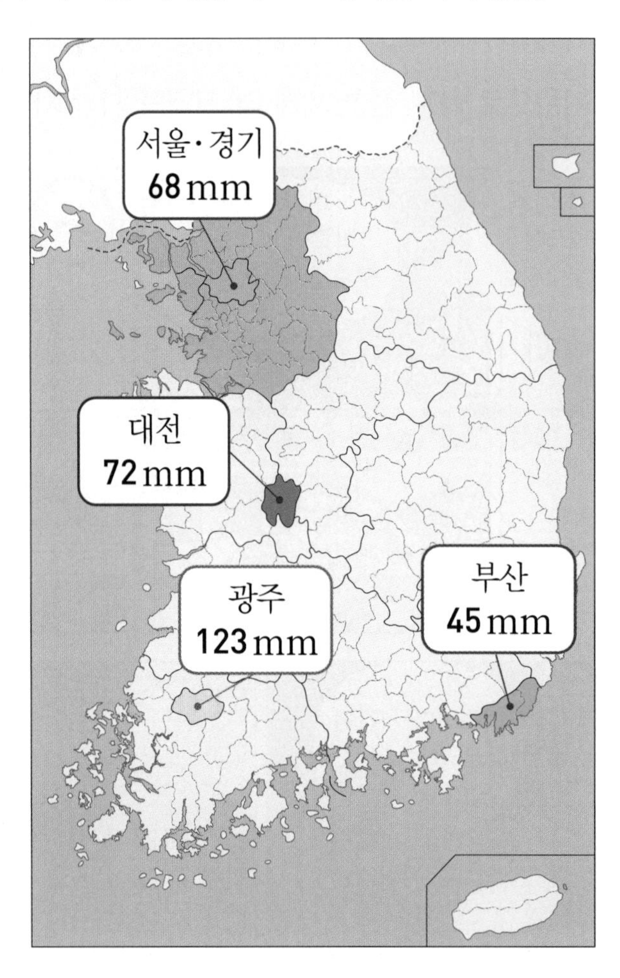

지역별 최고로 내리는 비의 양을 몇 cm 몇 mm로 나타내어 보세요.

지역	강수량	
	mm로 나타내기	cm와 mm로 나타내기
서울·경기	68 mm	□ cm □ mm
대전	72 mm	□ cm □ mm
광주	123 mm	□ cm □ mm
부산	45 mm	□ cm □ mm

▶정답 및 풀이 18쪽

융합 4 우리나라에 있는 다리의 길이를 조사하여 나타낸 것입니다. 표를 완성해 보세요.

다리	서해대교	광안대교	영종대교
km와 m로 나타내기	7 km 310 m	7 km 420 m	4 km 420 m
m로 나타내기	□ m	□ m	□ m

융합 5 우리나라에 있는 터널의 길이를 조사하여 나타낸 것입니다. 표를 완성해 보세요.

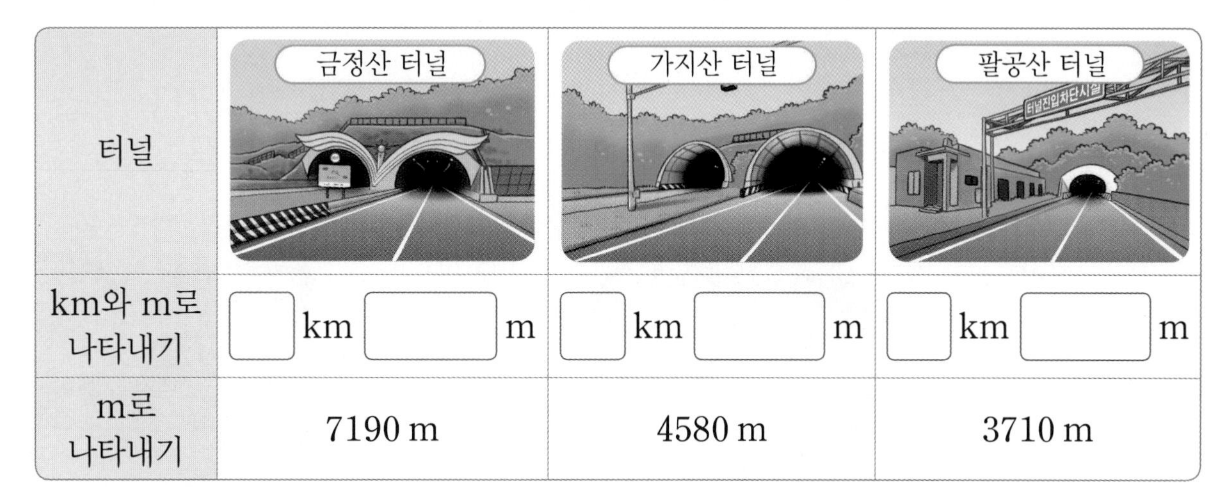

터널	금정산 터널	가지산 터널	팔공산 터널
km와 m로 나타내기	□ km □ m	□ km □ m	□ km □ m
m로 나타내기	7190 m	4580 m	3710 m

특강 창의·융합·코딩

오후에 일과를 시작한 시각을 보고 활동을 끝마친 시각은 몇 시 몇 분 몇 초인지 구하세요.

(1)

시작한 시각

45분 50초 동안 축구를 함.

☐시 ☐분 ☐초

(2)

시작한 시각

1시간 55분 45초 동안 공부를 함.

☐시 ☐분 ☐초

(3)

시작한 시각

1시간 15분 25초 동안 저녁 식사를 함.

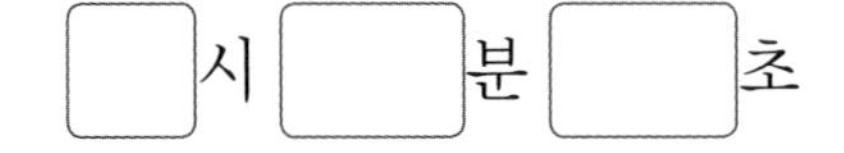

☐시 ☐분 ☐초

(4)

시작한 시각

1시간 12분 10초 동안 텔레비전을 시청함.

☐시 ☐분 ☐초

▶정답 및 풀이 18쪽

보기와 같이 로봇이 길에 있는 수 카드를 주운 후 두 수의 곱을 찾아갑니다. 올바른 곱에 가도록 명령문을 완성하고, 곱셈식을 쓰세요.

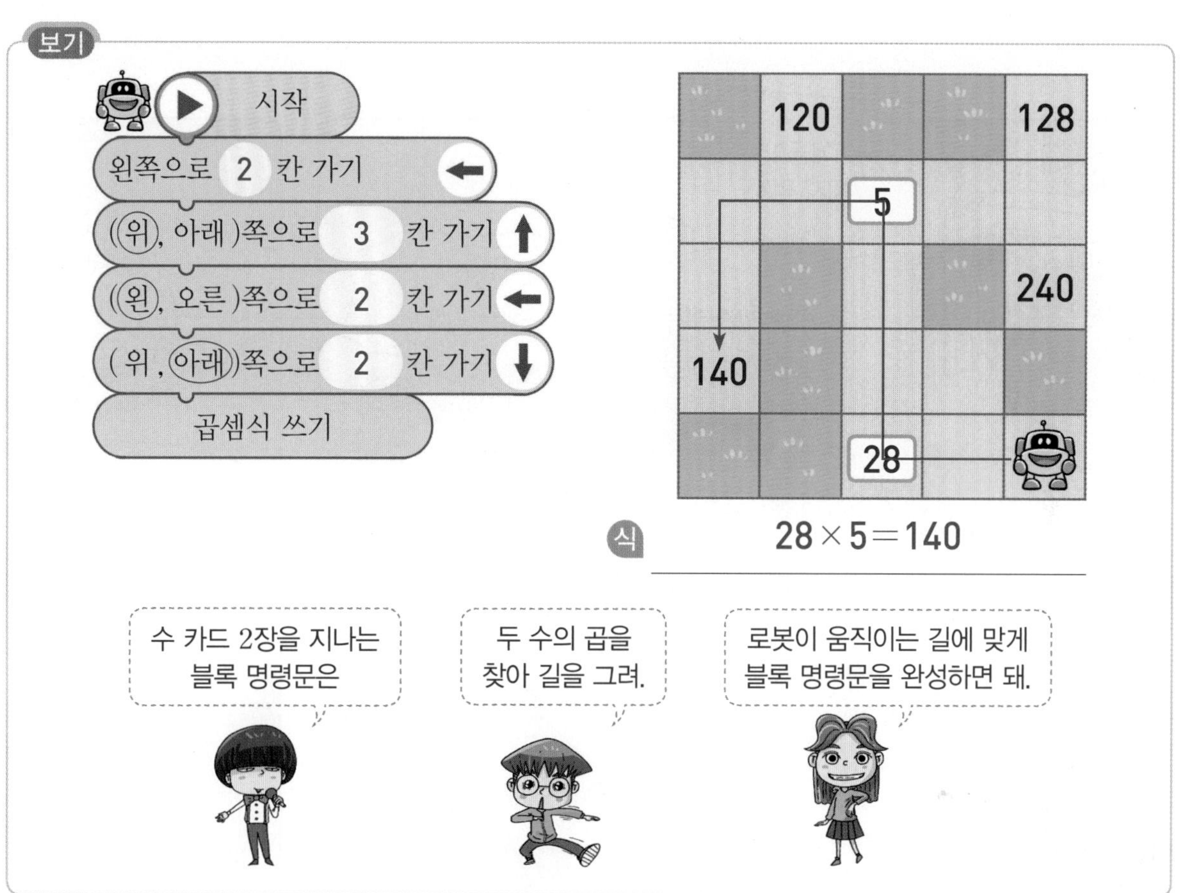

시작

오른쪽으로 3 칸 가기

(위, 아래)쪽으로 2 칸 가기

(왼, 오른)쪽으로 　 칸 가기

(위, 아래)쪽으로 　 칸 가기

곱셈식 쓰기

로봇			17	
76			6	
	102			82

식 ______

4 주

분수와 소수

PiZZa
얘들아,
피자 먹자.
와!
선생님 최고!

1 2 3 4 5 6 7 8
4명이니까
2조각씩 먹으면 되겠어.

선생님은 1조각만
먹으면 돼.
나머지는 너희가
다 먹어.

피싱~
1조각이
남는다!

이긴 사람이
1조각 더 먹자.
가위
바위
보

야호!
쳇!

나머지는
어디 갔지?

난 1조각만
먹을테니
너희도 먹어.

이번에 배울 내용을 알아볼까요? 1

1일 분수 알아보기
2일 분수의 크기 비교하기
3일 소수 알아보기(1)
4일 소수 알아보기(2)
5일 소수의 크기 비교하기

이번에 배울 내용을 알아볼까요? 

2-1 여러 가지 도형

칠교판으로 여러 가지
도형을 만들어 보세요.

길이가 같은 변을 붙여
만들어 보세요.

보기의 칠교판 2조각을 이용하여 다음 도형을 만들어 보세요.

보기

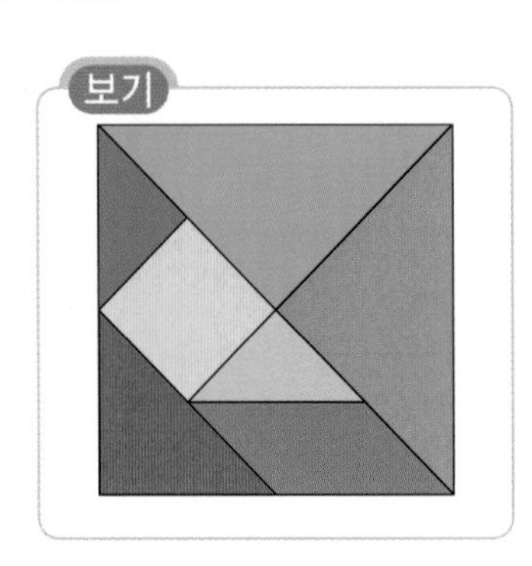

1-1

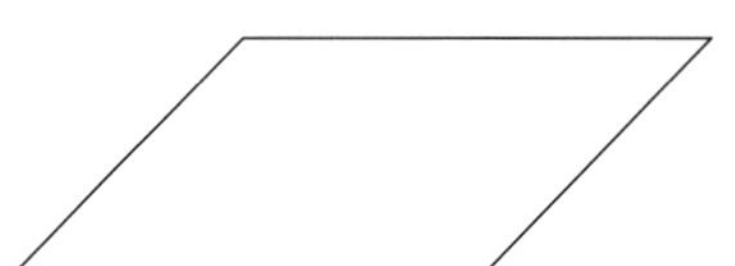

1-2

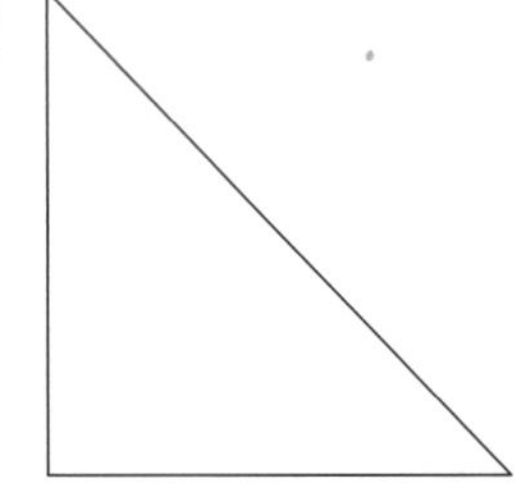

1-3

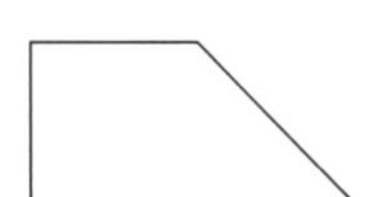

3-1 길이와 시간

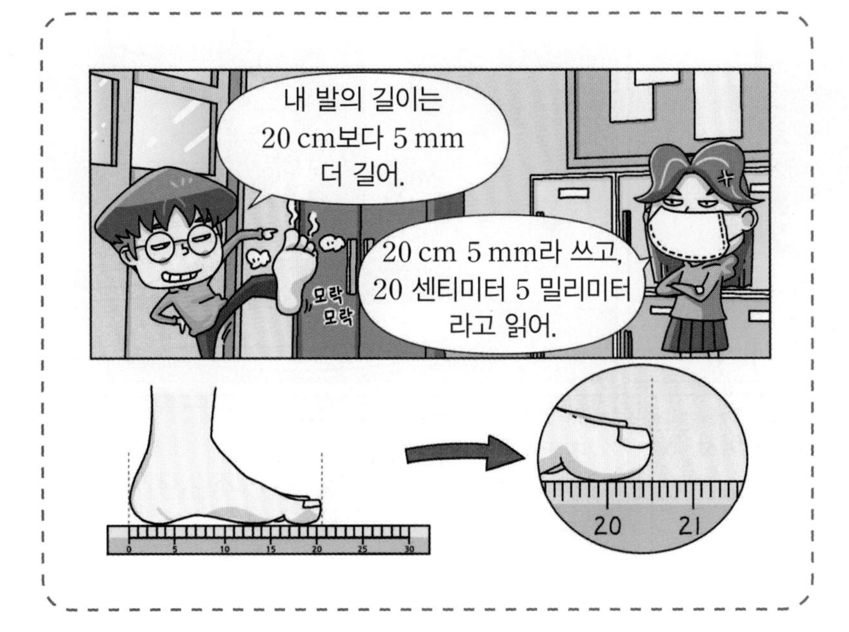

1 cm=10 mm예요.

● cm보다 ▲ mm 더 긴 것은 ● cm ▲ mm로 나타내요.

□ 안에 알맞은 수를 써넣으세요.

2-1 2 cm=□ mm

2-2 1 cm 9 mm=□ mm

2-3 160 mm=□ cm

2-4 6 cm 5 mm=□ mm

2-5 36 mm=□ cm □ mm

2-6 71 mm=□ cm □ mm

분수 알아보기 ①

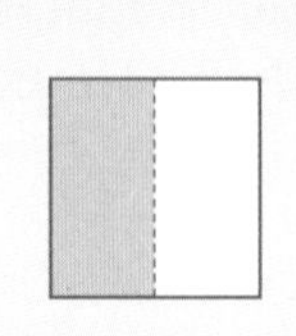

전체를 똑같이 2로 나눈 것 중의 1

⇨ $\frac{1}{2}$

똑똑한 하루 계산법

• **분수를 쓰고 읽기**

부분 [색칠한 부분]은 전체 [2칸으로 나눈 사각형]를 똑같이 2로 나눈 것 중의 1

⇨ 쓰기 $\frac{1}{2}$ ← 분자, ← 분모

읽기 2분의 1

$\frac{1}{2}$, $\frac{2}{3}$와 같은 수를 분수라고 해요.

OX 퀴즈

분수를 바르게 읽은 것에 ○표, 틀리게 읽은 것에 ×표 하세요.

$\frac{2}{3}$ ⇨ 3분의 2 ❶ [ ]

$\frac{3}{4}$ ⇨ 3분의 4 ❷ [ ]

정답 ❶ ○ ❷ ×

▶정답 및 풀이 19쪽

제한 시간 3분

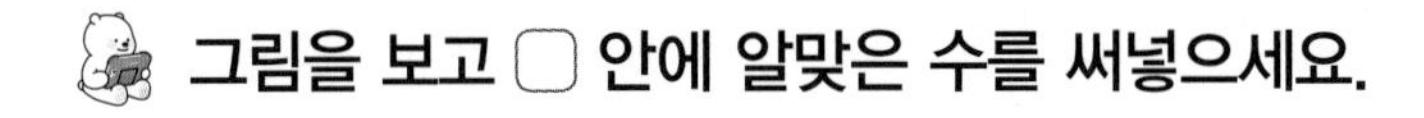

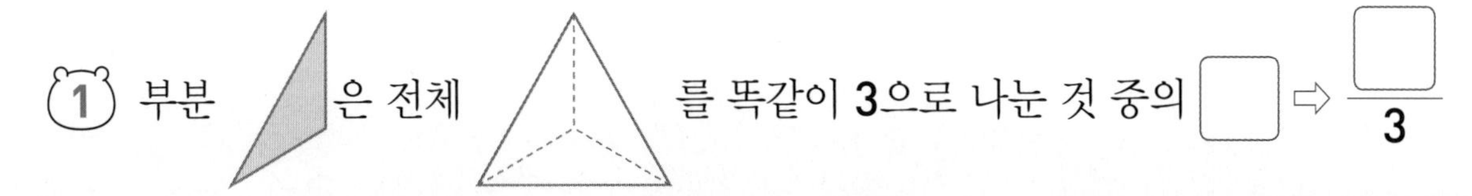

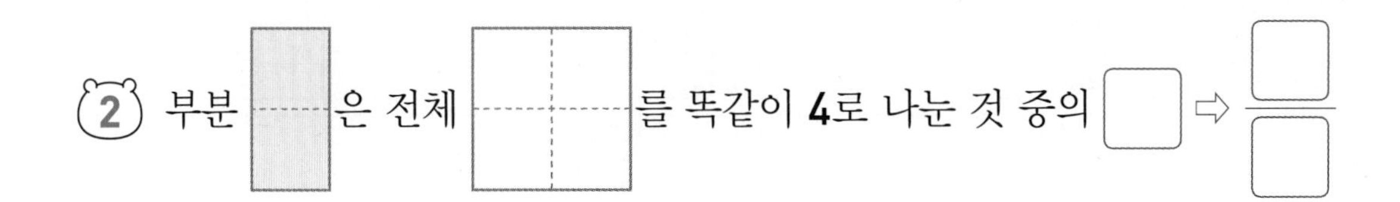

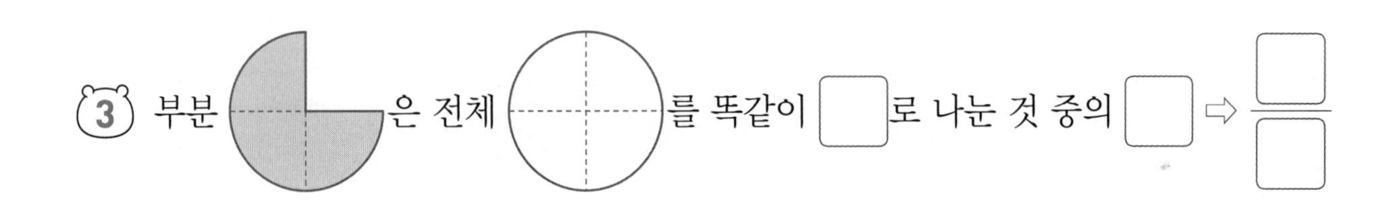

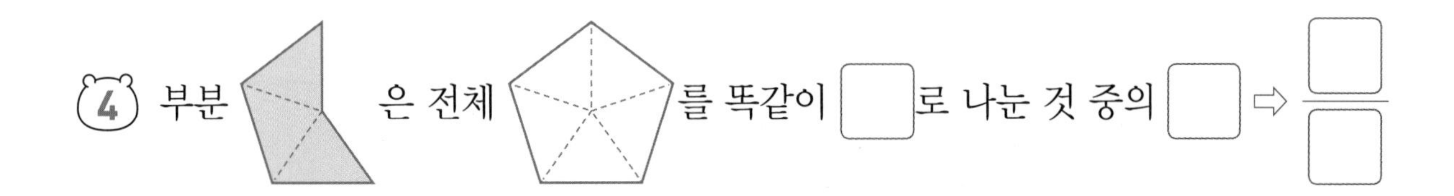

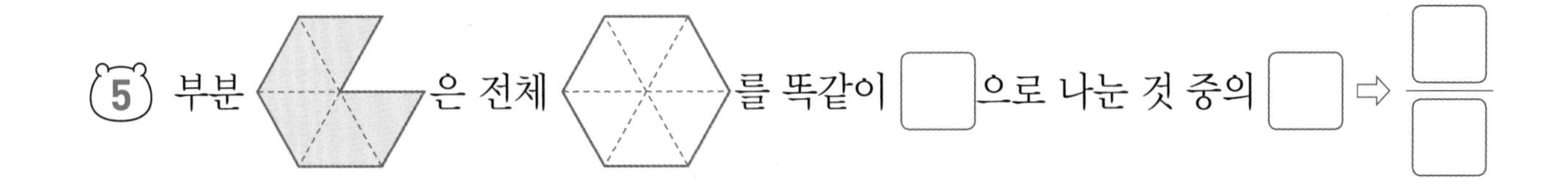

분수 알아보기 ②

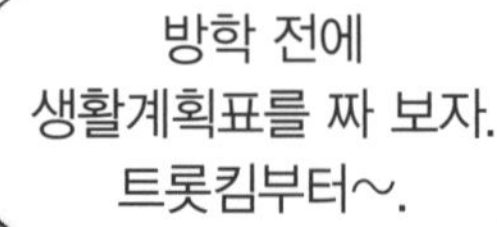

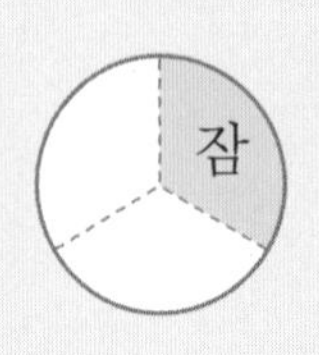

색칠한 부분

⇨ 전체를 똑같이 3으로 나눈 것 중의 1

⇨ $\frac{1}{3}$

똑똑한 하루 계산법

• **분수로 나타내기**

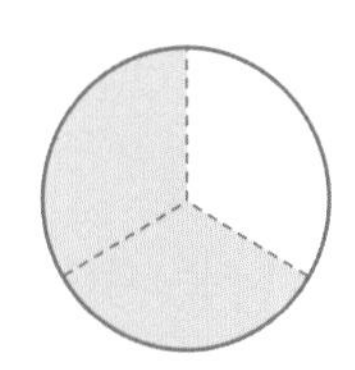

색칠한 부분

⇨ $\frac{2}{3}$ 전체를 똑같이 3으로 나눈 것 중의 2

색칠하지 않은 부분

⇨ $\frac{1}{3}$ 전체를 똑같이 3으로 나눈 것 중의 1

○× 퀴즈

분수로 바르게 나타낸 것에 ○표, 아닌 것에 ×표 하세요.

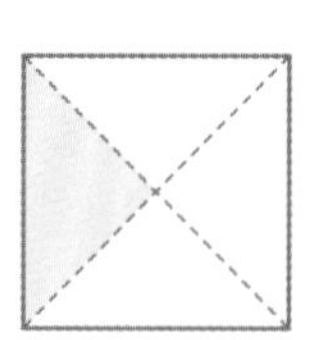

색칠한 부분 ⇨ $\frac{2}{4}$ ❶ 

색칠하지 않은 부분 ⇨ $\frac{3}{4}$ ❷ 

정답 ❶ × ❷ ○

똑똑한 계산 연습

제한 시간 3분

 색칠한 부분과 색칠하지 않은 부분을 차례로 분수로 나타내어 보세요.

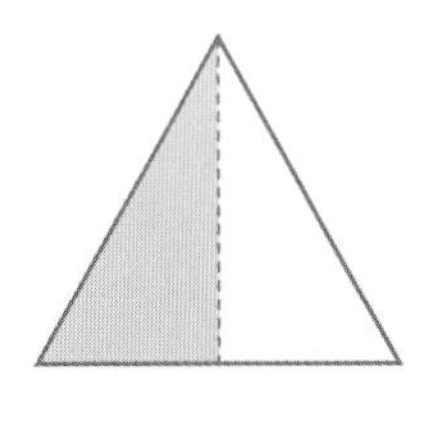

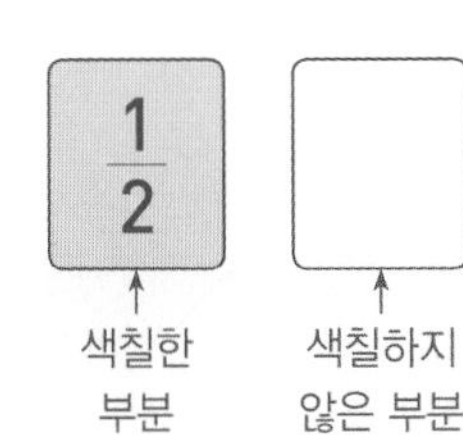

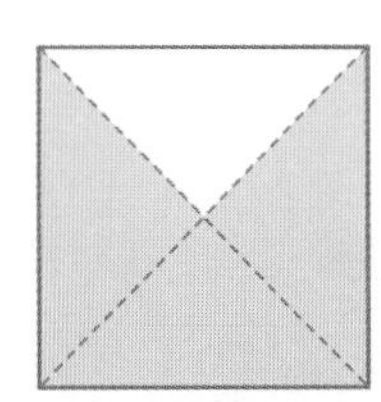

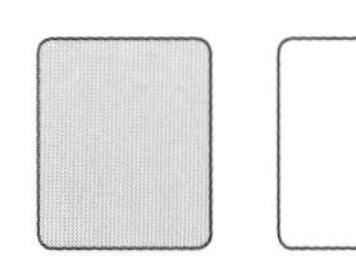

③

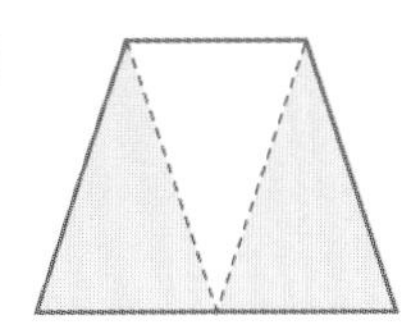

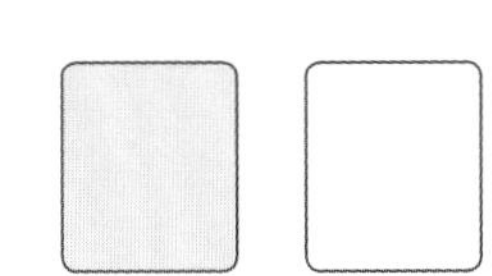

④

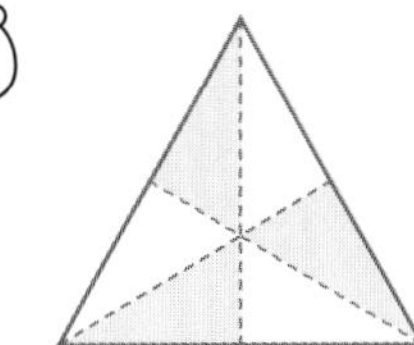

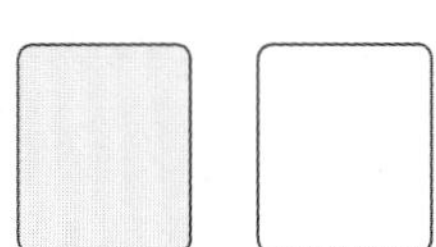

⑤

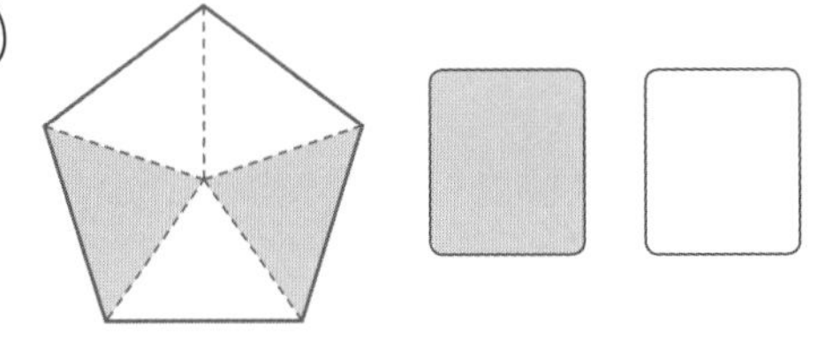

⑥

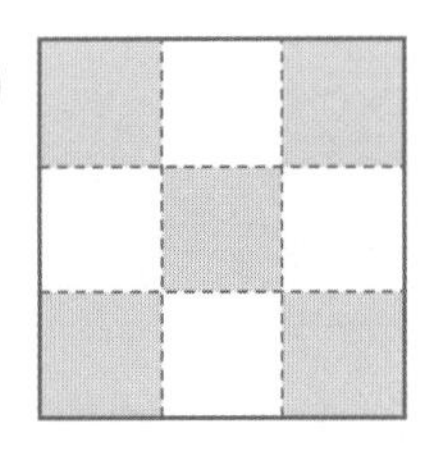

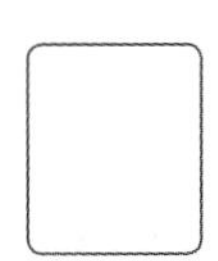

⑦

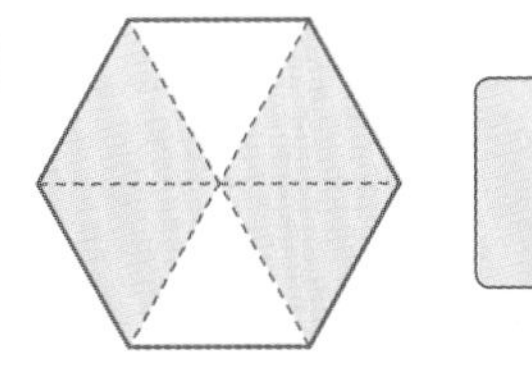

⑧

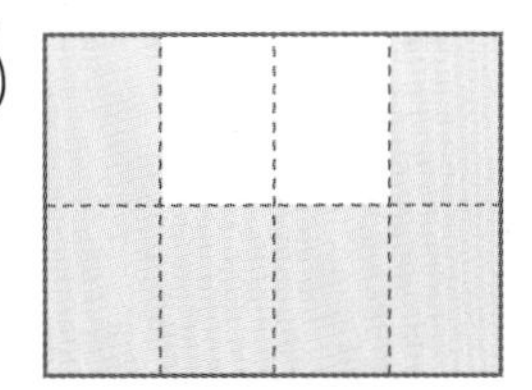

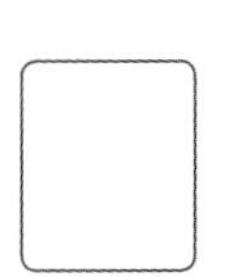

⑨

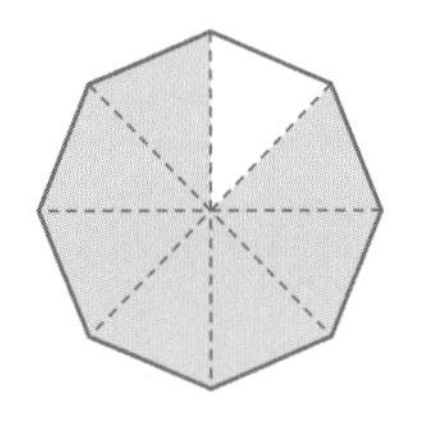

⑩

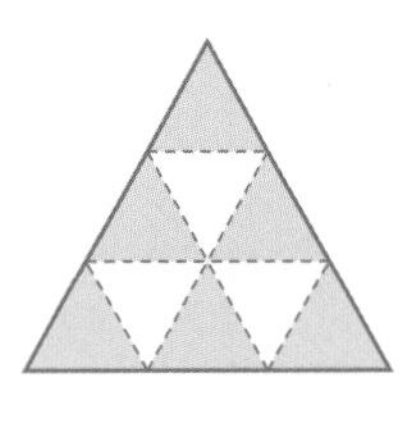

4주 1일

기초 집중 연습

 색칠한 부분을 분수로 쓰고 읽어 보세요.

1-1

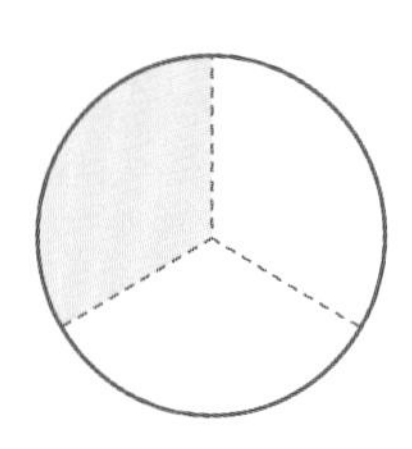

쓰기 ______

읽기 ______

1-2

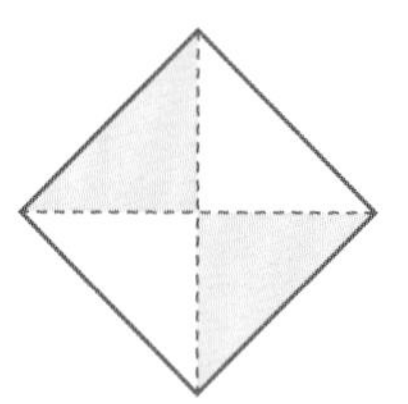

쓰기 ______

읽기 ______

1-3

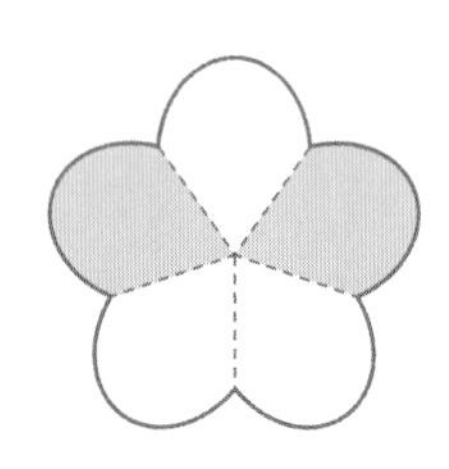

쓰기 ______

읽기 ______

1-4

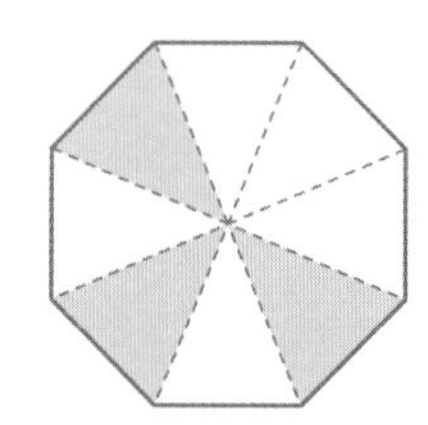

쓰기 ______

읽기 ______

주어진 분수만큼 색칠해 보세요.

2-1

$\frac{3}{4}$

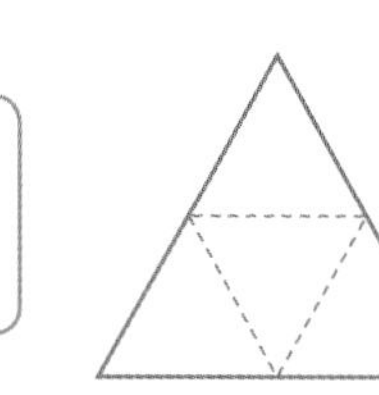

2-2

$\frac{2}{7}$

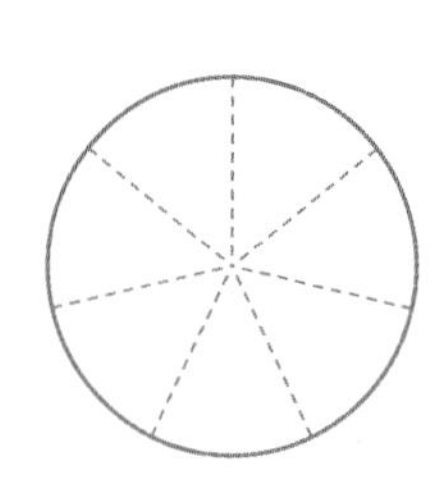

2-3

$\frac{4}{6}$

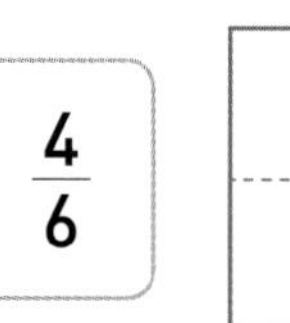

2-4

$\frac{6}{8}$

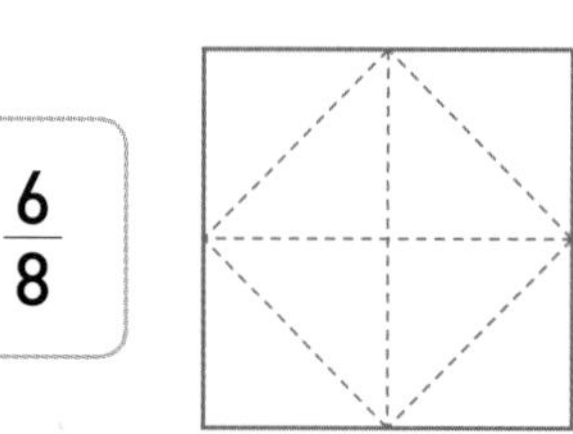

제한 시간 9분

생활 속 문제

먹고 남은 부분을 분수로 나타내어 보세요.

3-1

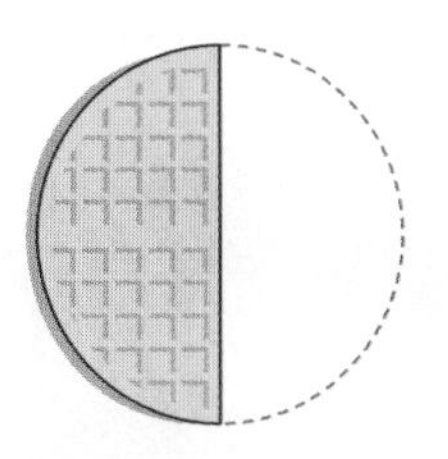

3-2

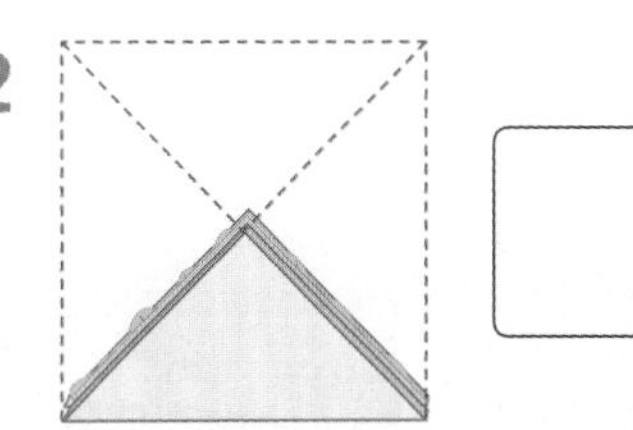

3-3

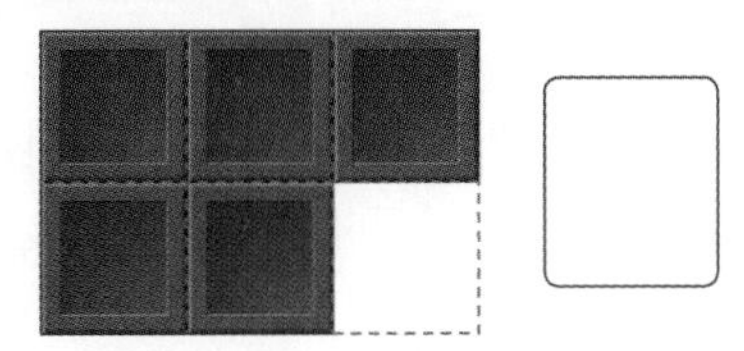

3-4

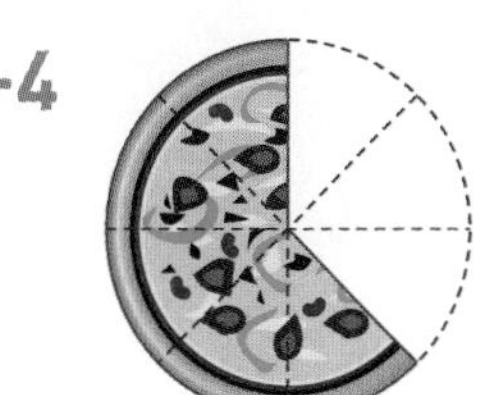

문장 읽고 문제 해결하기

4-1 전체를 똑같이 5로 나눈 것 중의 3을 분수로 나타내면?

답 ______

4-2 전체를 똑같이 9로 나눈 것 중의 4를 분수로 나타내면?

답 ______

4-3 빵 한 개를 똑같이 6조각으로 나눈 것 중의 2조각을 분수로 나타내면?

답 ______

4-4 색종이 한 장을 똑같이 8조각으로 나눈 것 중의 7조각을 분수로 나타내면?

답 ______

분수의 크기 비교하기 ①

똑똑한 하루 계산법

• **분모가 같은 분수의 크기 비교하기**

예 $\frac{2}{4}$와 $\frac{3}{4}$의 크기 비교하기

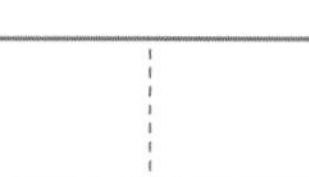

$\frac{2}{4}$: $\frac{1}{4}$ | $\frac{1}{4}$ | |

$\frac{3}{4}$: $\frac{1}{4}$ | $\frac{1}{4}$ | $\frac{1}{4}$ |

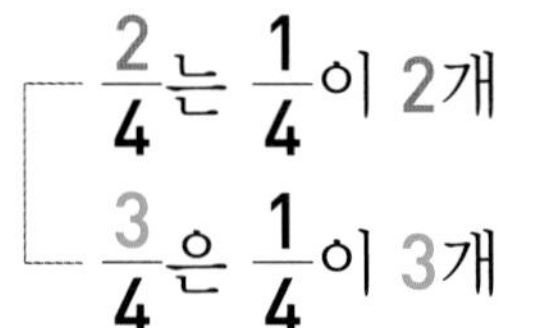

$\frac{2}{4}$는 $\frac{1}{4}$이 2개

$\frac{3}{4}$은 $\frac{1}{4}$이 3개

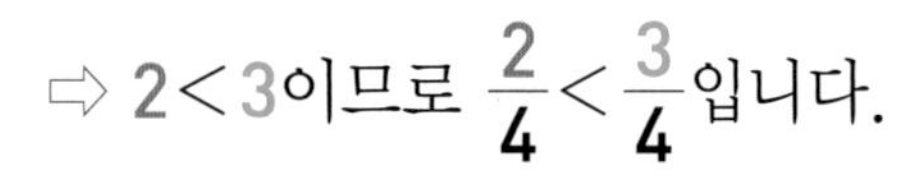

⇨ $2<3$이므로 $\frac{2}{4}<\frac{3}{4}$입니다.

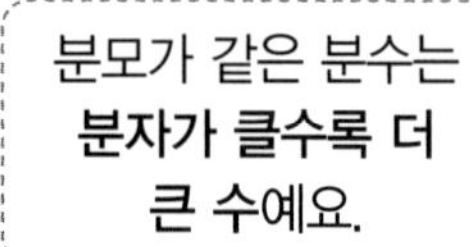

○✕ 퀴즈

분수의 크기 비교가 옳으면 ○에, 틀리면 ✕에 ○표 하세요.

$\frac{2}{5} < \frac{4}{5}$

○ ✕

정답 ○에 ○표

똑똑한 계산 연습

▶정답 및 풀이 20쪽

제한 시간 3분

두 분수의 크기를 비교하여 ○ 안에 >, =, <를 알맞게 써넣으세요.

1
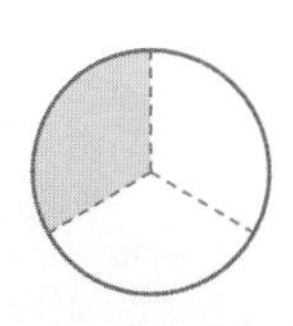
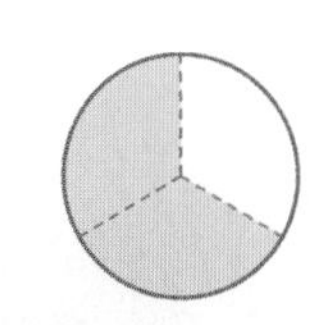

$\frac{1}{3} \bigcirc \frac{2}{3}$

2
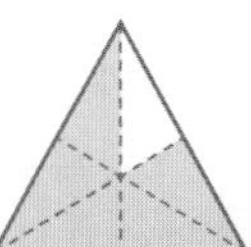
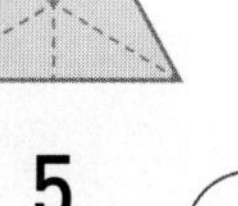
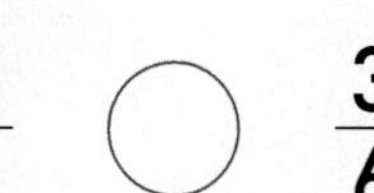

$\frac{5}{6} \bigcirc \frac{3}{6}$

3
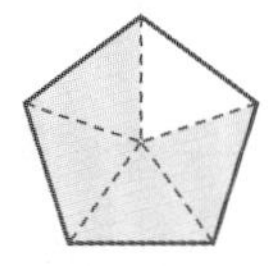
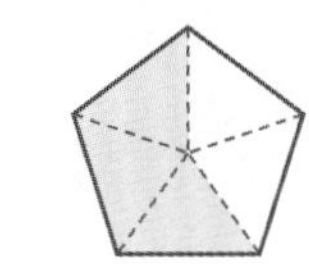

$\frac{4}{5} \bigcirc \frac{3}{5}$

4
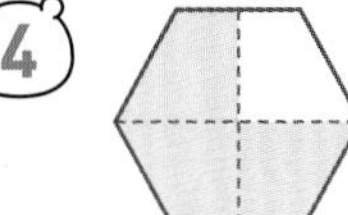
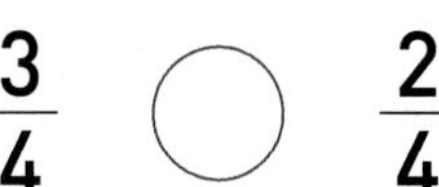

$\frac{3}{4} \bigcirc \frac{2}{4}$

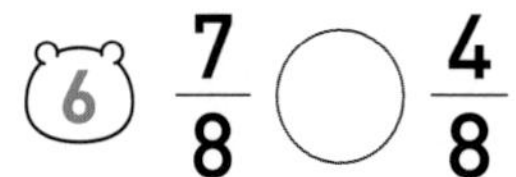

5 $\frac{5}{7} \bigcirc \frac{6}{7}$

6 $\frac{7}{8} \bigcirc \frac{4}{8}$

7 $\frac{4}{6} \bigcirc \frac{2}{6}$

8 $\frac{2}{10} \bigcirc \frac{7}{10}$

9 $\frac{3}{9} \bigcirc \frac{5}{9}$

10 $\frac{8}{11} \bigcirc \frac{7}{11}$

4주 2일

분수의 크기 비교하기 ②

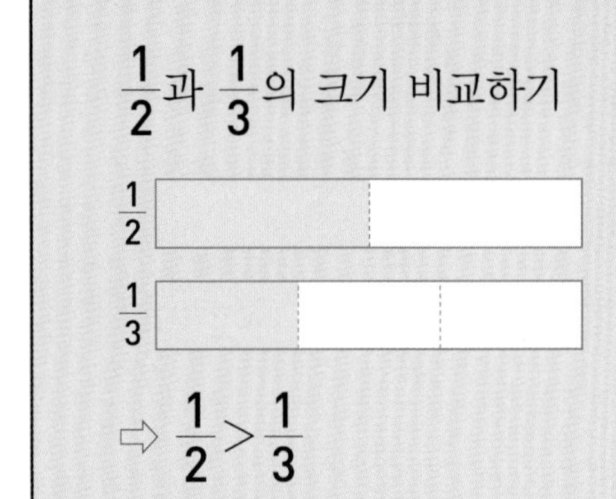

똑똑한 하루 계산법

• 단위분수의 크기 비교하기

단위분수: 분수 중에서 $\frac{1}{2}$, $\frac{1}{3}$, $\frac{1}{4}$……과 같이 분자가 1인 분수

예 $\frac{1}{2}$과 $\frac{1}{3}$의 크기 비교하기

$\frac{1}{2}$

$\frac{1}{3}$

⇨ $2 < 3$이므로 $\frac{1}{2} > \frac{1}{3}$입니다.

단위분수는 **분모가 작을수록** 더 큰 수예요.

○✕ 퀴즈

분수의 크기 비교가 옳으면 ○에, 틀리면 ✕에 ○표 하세요.

$$\frac{1}{3} < \frac{1}{4}$$

정답 ✕에 ○표

똑똑한 계산 연습

▶정답 및 풀이 21쪽

제한 시간 3분

두 분수의 크기를 비교하여 ○ 안에 >, =, <를 알맞게 써넣으세요.

1 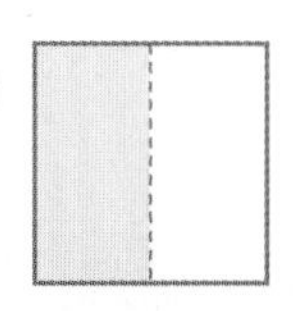 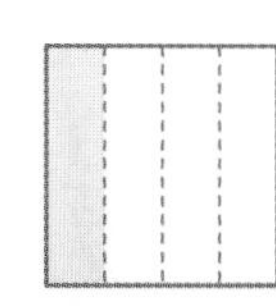

$\frac{1}{2}$ ○ $\frac{1}{4}$

2 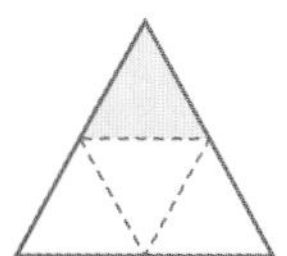 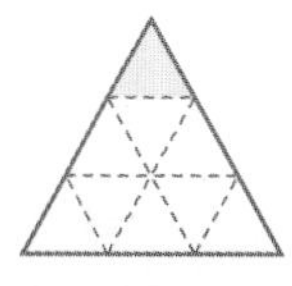

$\frac{1}{4}$ ○ $\frac{1}{9}$

3 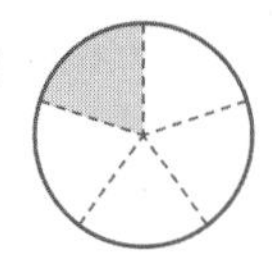 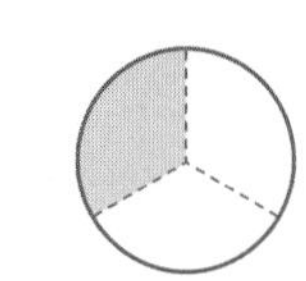

$\frac{1}{5}$ ○ $\frac{1}{3}$

4 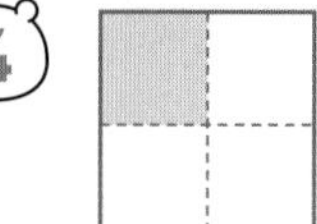

$\frac{1}{4}$ ○ $\frac{1}{8}$

5 $\frac{1}{7}$ ○ $\frac{1}{6}$

6 $\frac{1}{9}$ ○ $\frac{1}{5}$

7 $\frac{1}{6}$ ○ $\frac{1}{2}$

8 $\frac{1}{11}$ ○ $\frac{1}{12}$

9 $\frac{1}{8}$ ○ $\frac{1}{10}$

10 $\frac{1}{15}$ ○ $\frac{1}{12}$

2일 기초 집중 연습

두 분수의 크기를 비교하여 더 큰 수에 ○표 하세요.

1-1 $\frac{2}{5}$ | $\frac{4}{5}$

1-2 $\frac{6}{7}$ | $\frac{3}{7}$

1-3 $\frac{5}{10}$ | $\frac{8}{10}$

1-4 $\frac{1}{2}$ | $\frac{1}{5}$

1-5 $\frac{1}{4}$ | $\frac{1}{7}$

1-6 $\frac{1}{12}$ | $\frac{1}{9}$

두 분수의 크기를 비교하여 빈칸에 더 작은 수를 써넣으세요.

2-1 $\frac{5}{6}$, $\frac{2}{6}$ → ☐

2-2 $\frac{4}{9}$, $\frac{8}{9}$ → ☐

2-3 $\frac{1}{8}$, $\frac{1}{9}$ → ☐

2-4 $\frac{1}{10}$, $\frac{1}{11}$ → ☐

제한 시간 9분

생활 속 문제

마시고 남은 양을 분수로 나타내고, 두 분수의 크기를 비교하여 ○ 안에 $>$, $=$, $<$를 알맞게 써넣으세요.

3-1

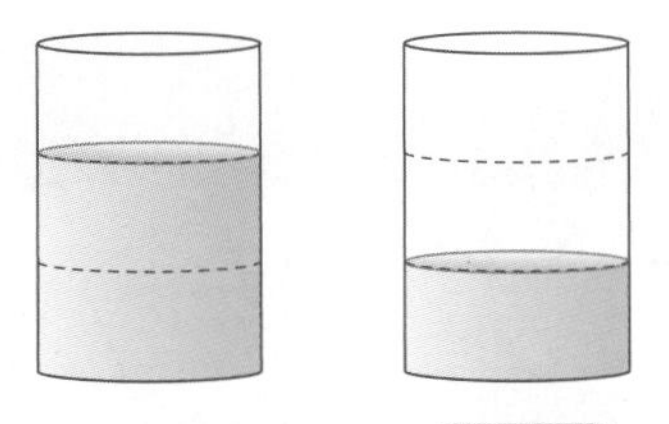

$\frac{2}{3}$ ○ □

3-2

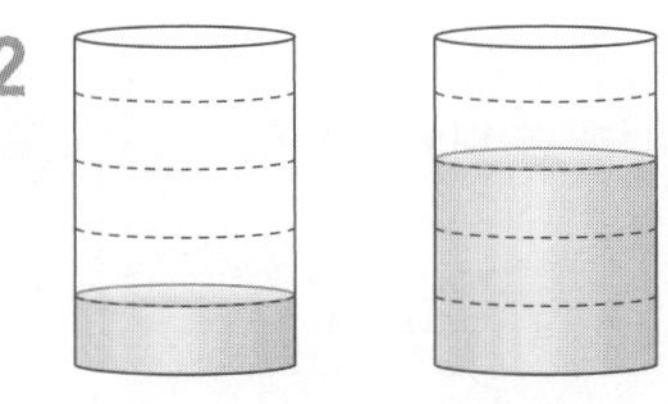

□ ○ $\frac{3}{5}$

3-3

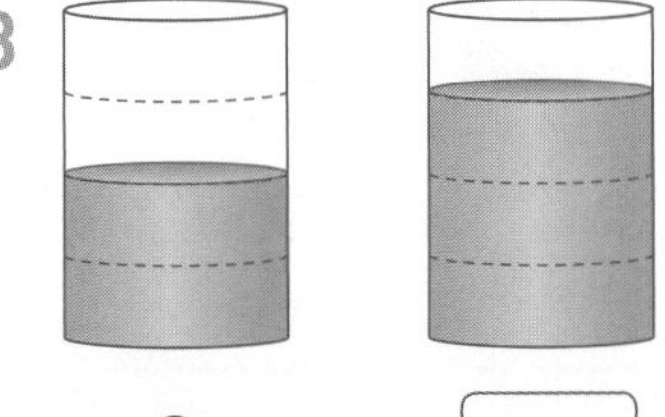

$\frac{2}{4}$ ○ □

3-4

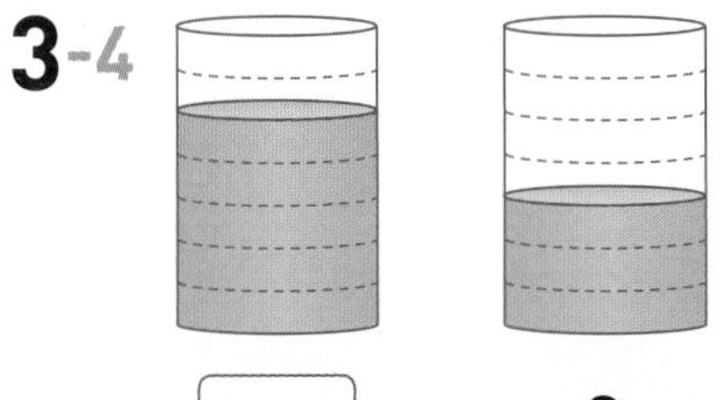

□ ○ $\frac{3}{7}$

문장 읽고 문제 해결하기

4-1

분모가 8인 분수 중 $\frac{5}{8}$보다 크고 $\frac{7}{8}$보다 작은 분수는?

$\frac{5}{8} < \square < \frac{7}{8}$

4-2

분자가 1인 분수 중 $\frac{1}{4}$보다 크고 $\frac{1}{2}$보다 작은 분수는?

$\frac{1}{4} < \square < \frac{1}{2}$

4주 2일

소수 알아보기 ①

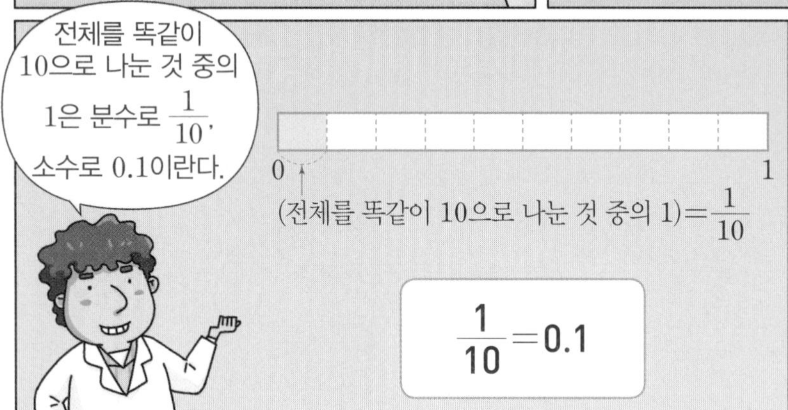

똑똑한 하루 계산법

• 0.■ 알아보기

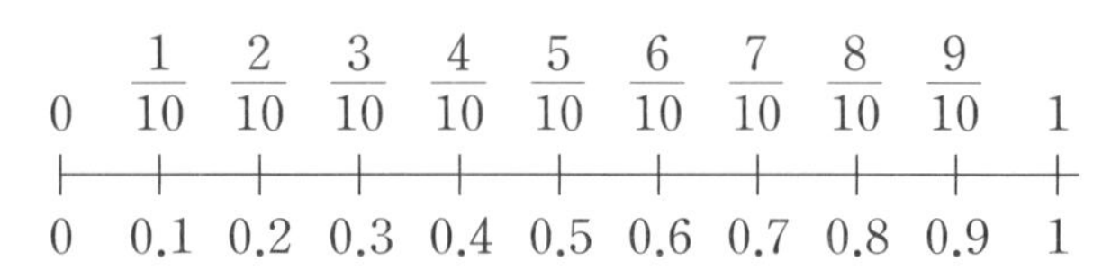

분수		$\frac{1}{10}$	$\frac{2}{10}$	……	$\frac{9}{10}$
소수	쓰기	0.1	0.2	……	0.9
	읽기	영 점 일	영 점 이	……	영 점 구

0.1, 0.2, 0.3과 같은 수를 소수라 하고
'.'을 소수점이라고 해요.

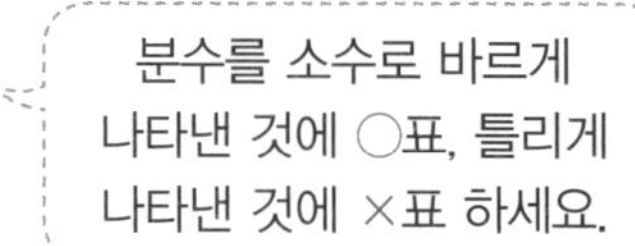

$\frac{2}{100}=0.2$ ❶ ☐

$\frac{5}{10}=0.5$ ❷ ☐

▶정답 및 풀이 21쪽

똑똑한 계산 연습

제한 시간 3분

색칠한 부분을 소수로 나타내어 보세요.

1
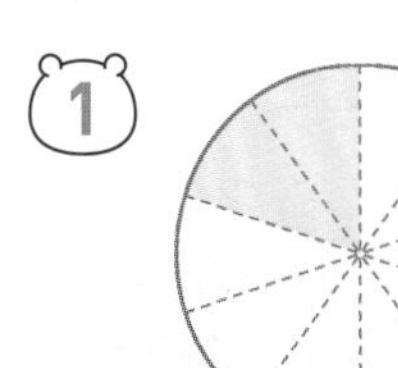

2
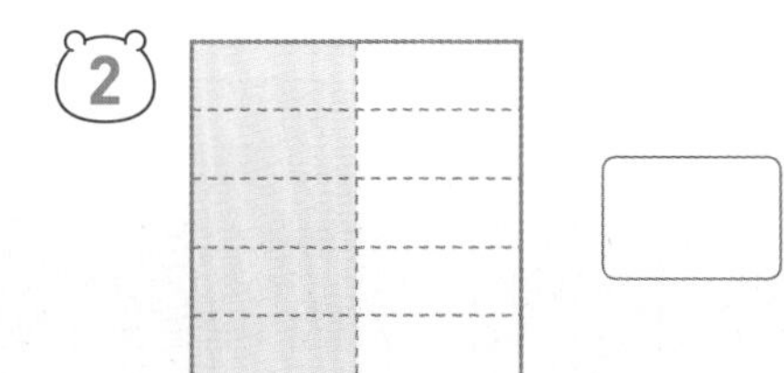

3

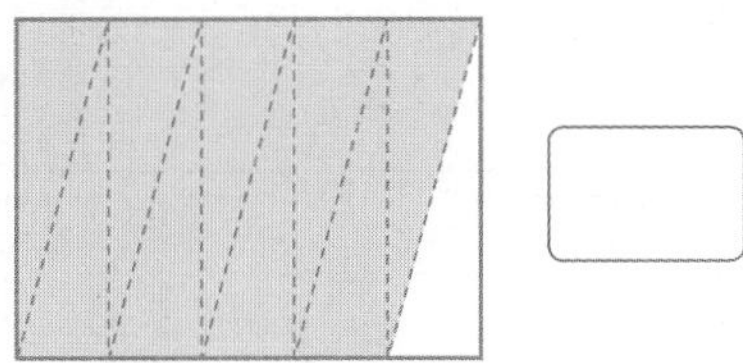

4
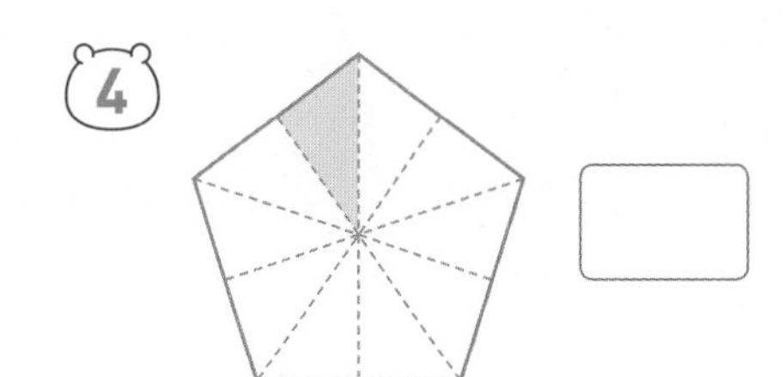

5
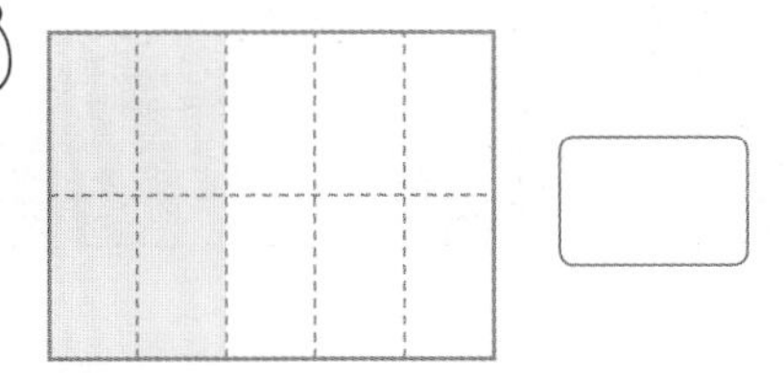

6
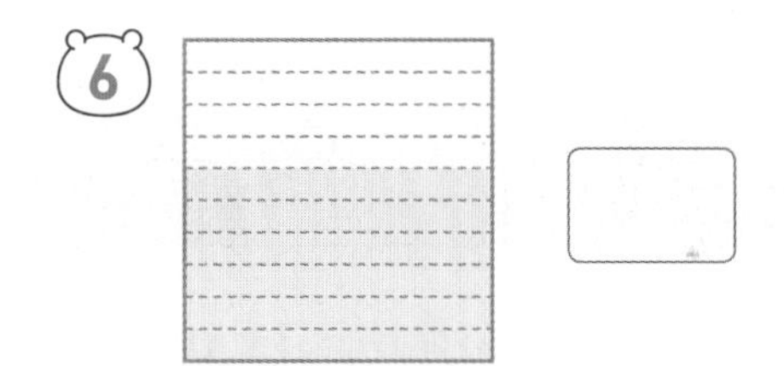

7
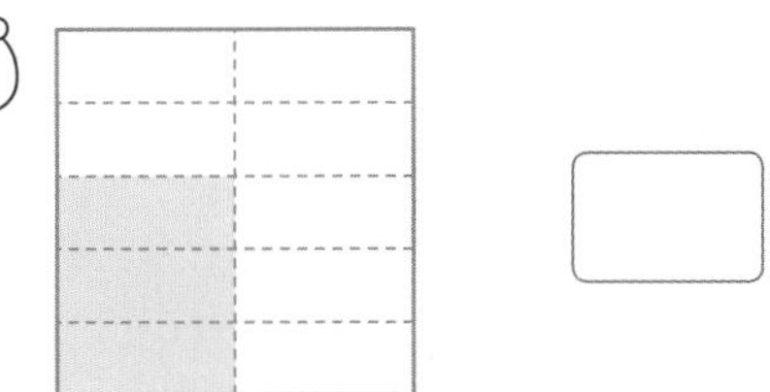

8
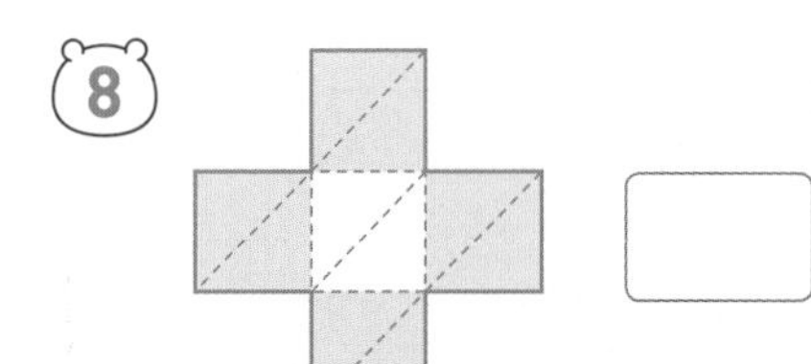

9
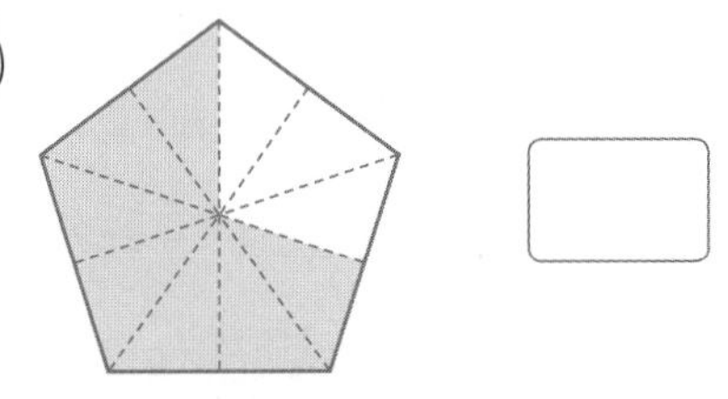

10
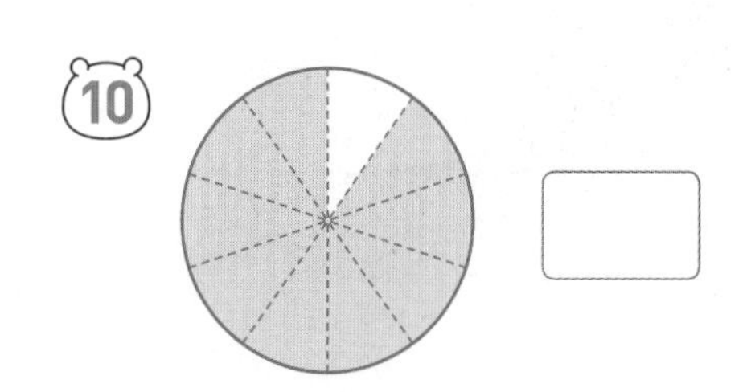

3일 소수 알아보기 ②

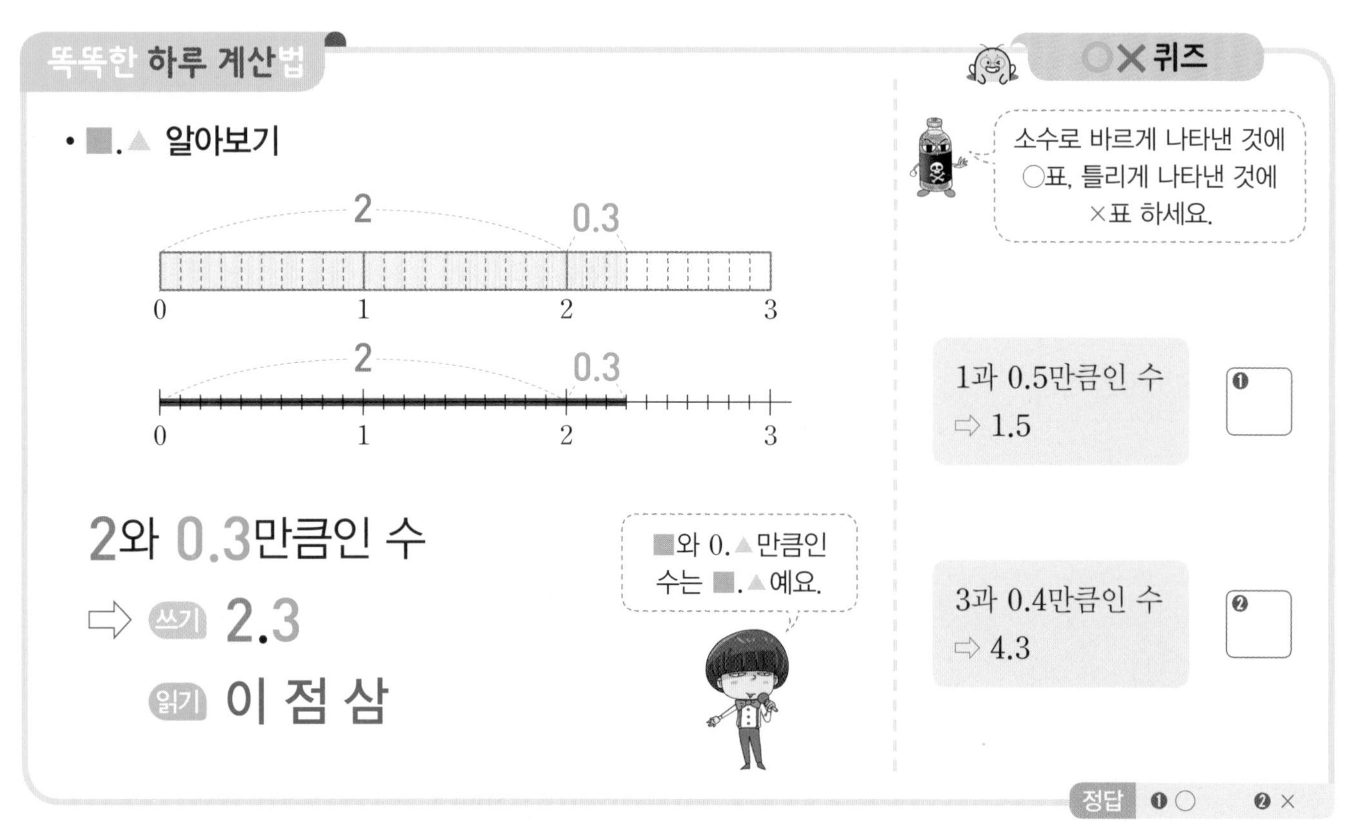

똑똑한 하루 계산법

• ■.▲ 알아보기

2와 0.3만큼인 수

⇨ 쓰기 2.3

읽기 이 점 삼

○× 퀴즈

소수로 바르게 나타낸 것에 ○표, 틀리게 나타낸 것에 ×표 하세요.

1과 0.5만큼인 수 ⇨ 1.5 ❶ ☐

3과 0.4만큼인 수 ⇨ 4.3 ❷ ☐

정답 ❶ ○ ❷ ×

똑똑한 계산 연습

▶정답 및 풀이 22쪽

제한 시간 3분

그림을 보고 ▢ 안에 알맞은 소수를 써넣으세요.

1
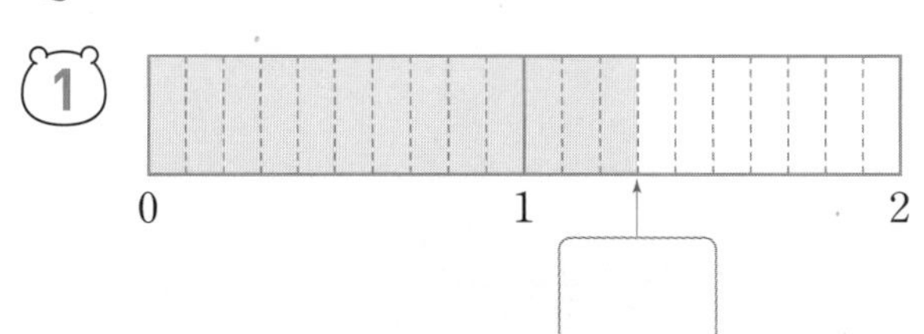

2
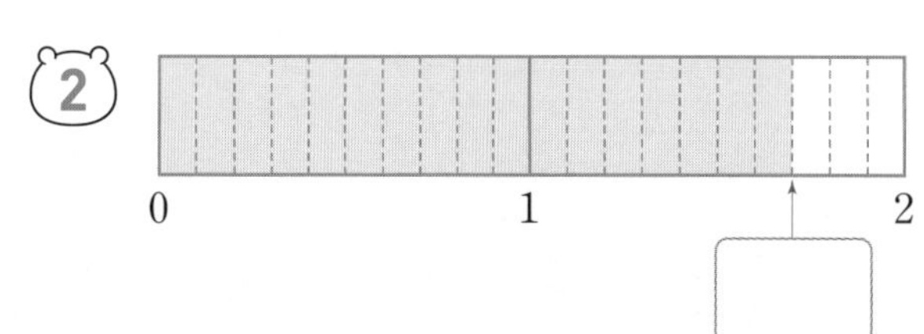

3
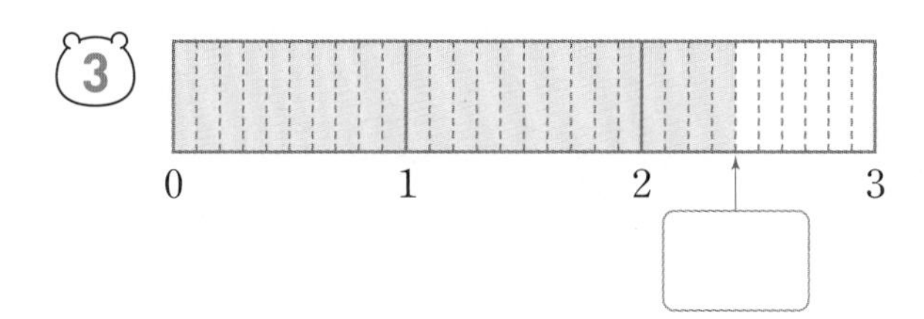

4
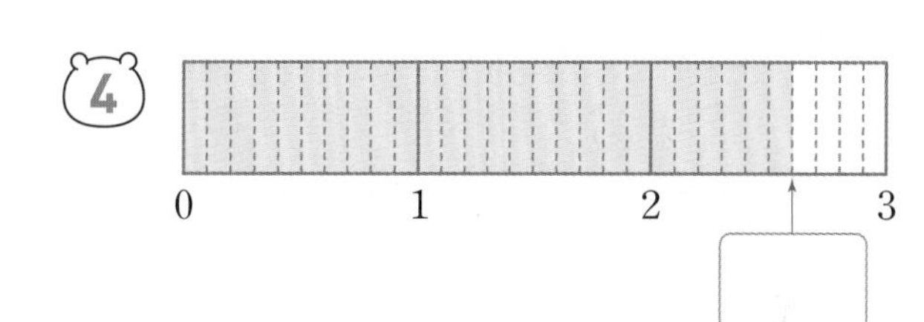

5
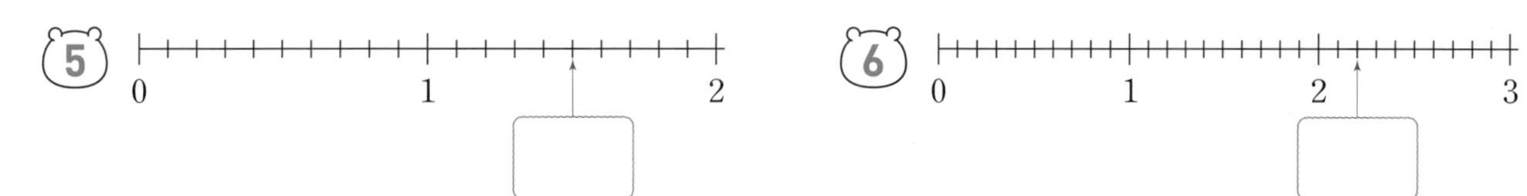

6
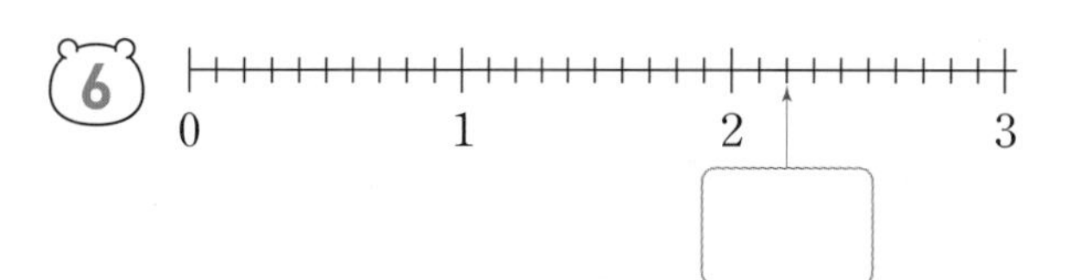

7
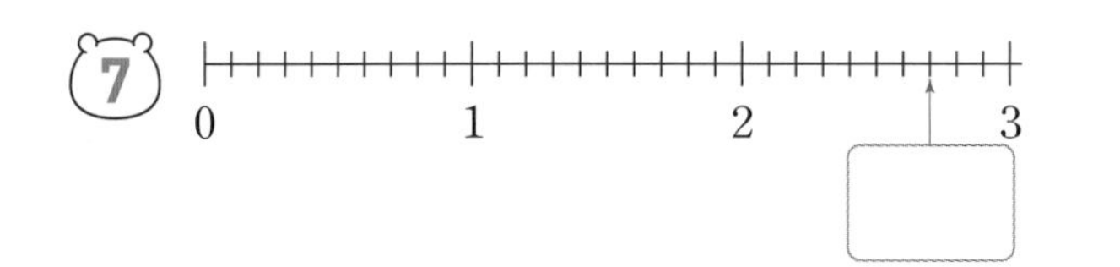

8
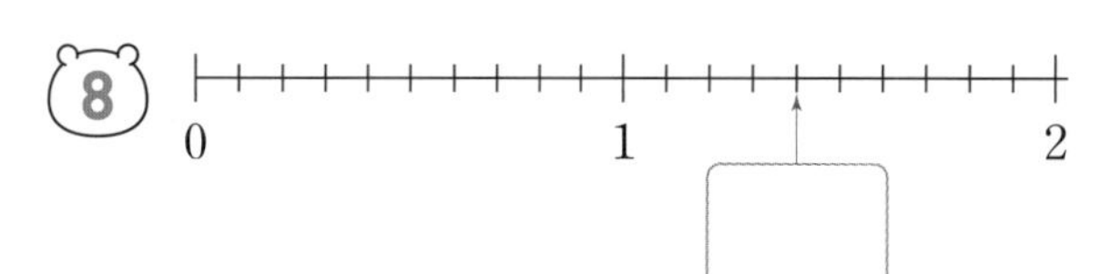

9
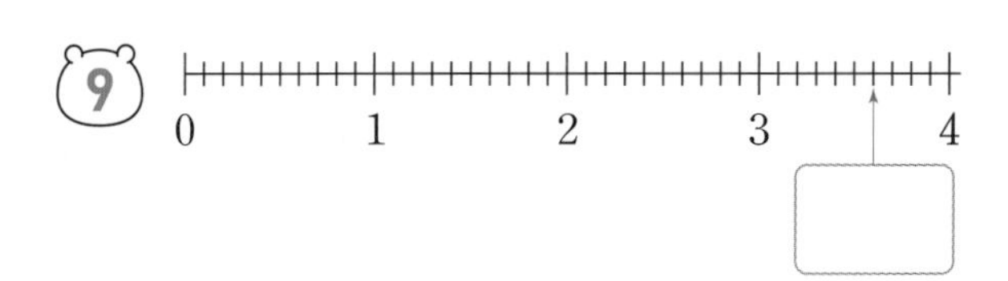

10
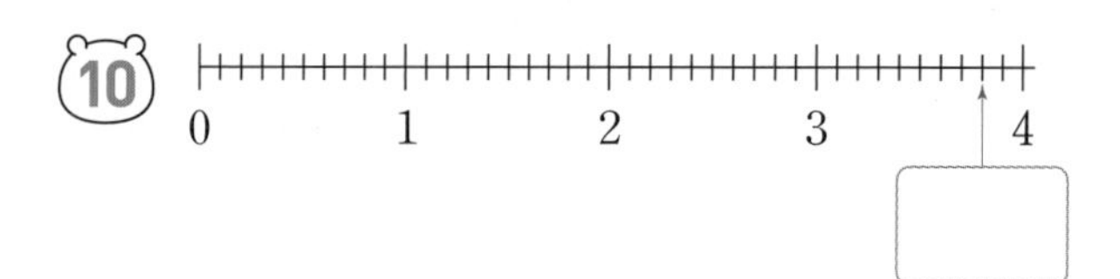

4주 3일

3일

기초 집중 연습

색칠한 부분을 분수와 소수로 나타내어 보세요.

1-1

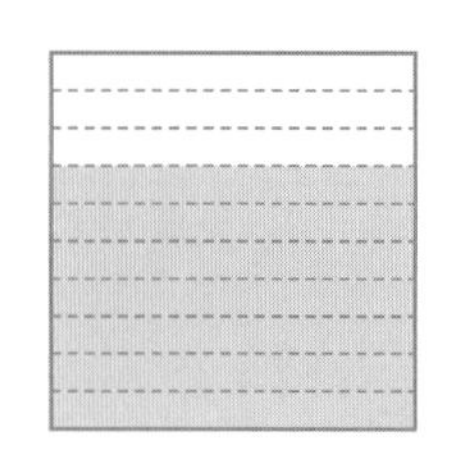

분수 소수

1-2

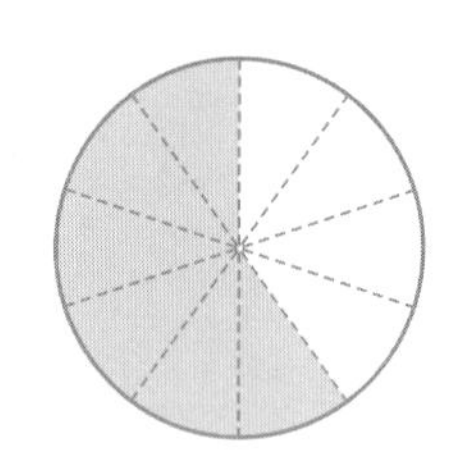

분수 소수

1-3

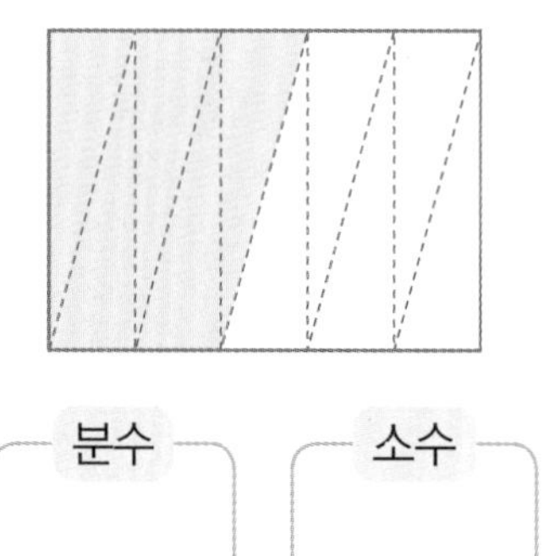

분수 소수

1-4

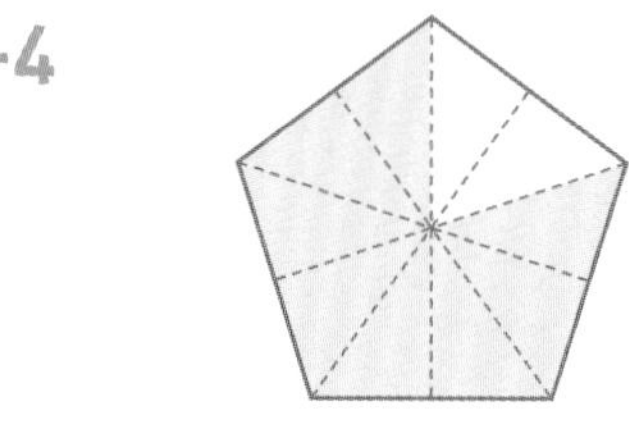

분수 소수

색칠한 부분을 소수로 쓰고 읽어 보세요.

2-1

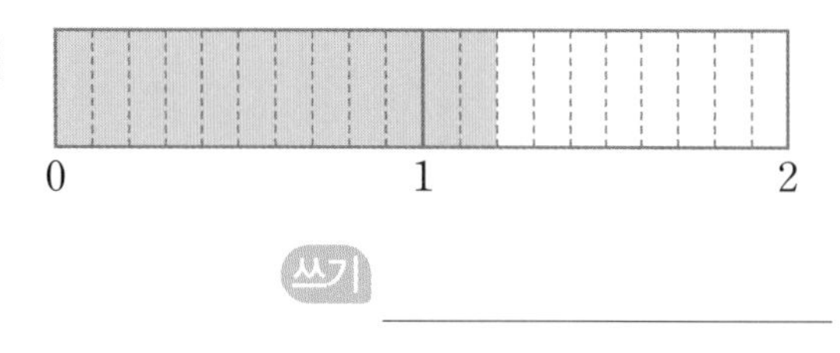

쓰기 ______

읽기 ______

2-2

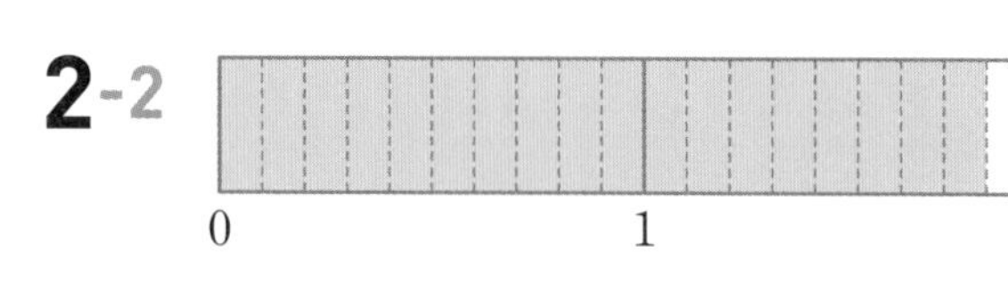

쓰기 ______

읽기 ______

2-3

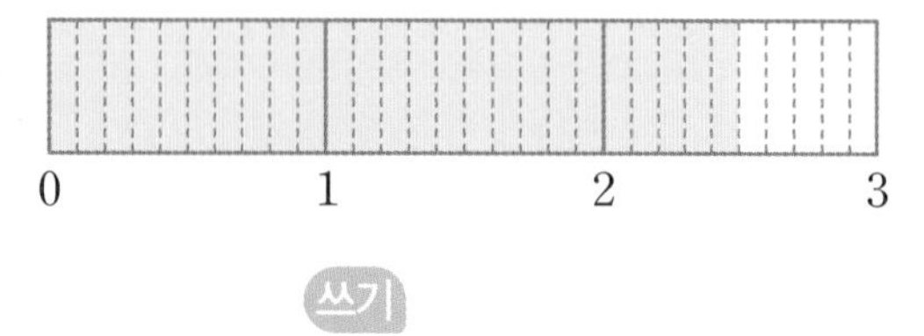

쓰기 ______

읽기 ______

2-4

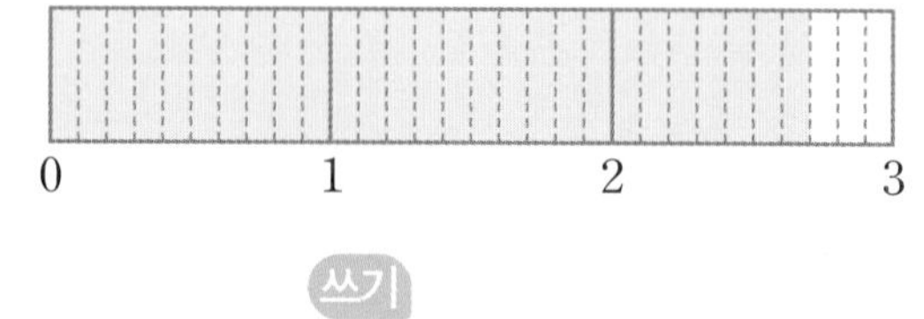

쓰기 ______

읽기 ______

제한 시간 9분

생활 속 문제

주스가 몇 컵인지 소수로 나타내어 보세요.

3-1

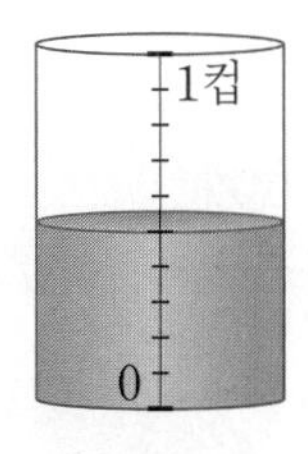

□ 컵

3-2

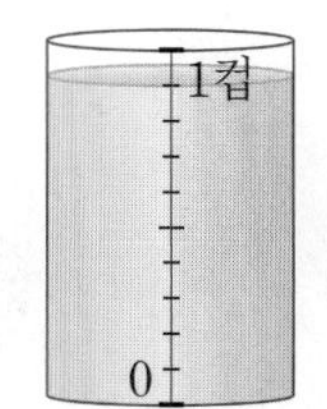

□ 컵

3-3

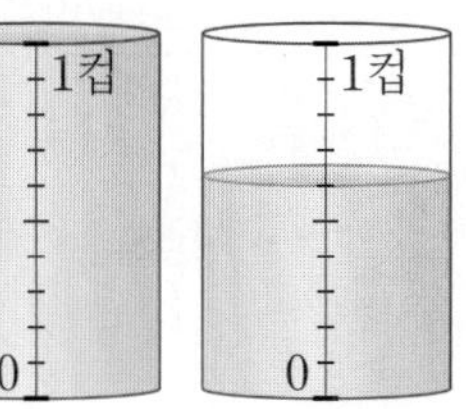

□ 컵

3-4

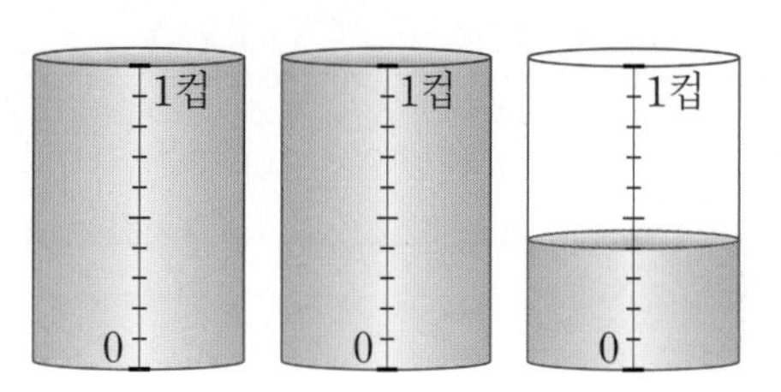

□ 컵

문장 읽고 문제 해결하기

4-1 2와 0.8만큼인 수를 소수로 나타내면?

답 ____________

4-2 5와 0.6만큼인 수를 소수로 나타내면?

답 ____________

4-3 선을 6 cm 긋고 이어서 0.5 cm 더 그었을 때 그은 선의 길이가 몇 cm인지 소수로 나타내면?

답 ____________ cm

4-4 4 cm에서 0.6 cm 더 자란 강낭콩의 길이가 몇 cm인지 소수로 나타내면?

답 ____________ cm

소수 알아보기 ③

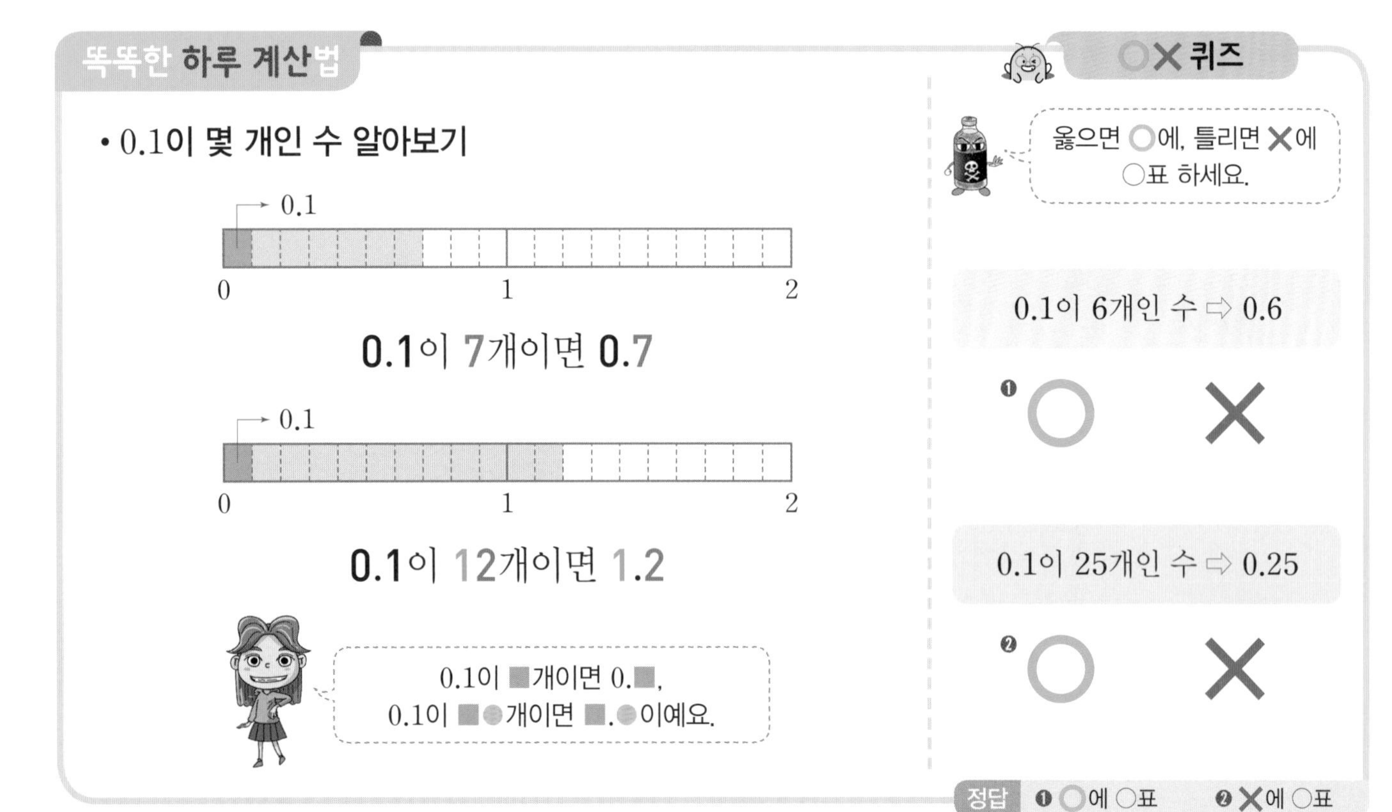

똑똑한 하루 계산법

• 0.1이 몇 개인 수 알아보기

0.1 (0, 1, 2)

0.1이 7개이면 0.7

0.1 (0, 1, 2)

0.1이 12개이면 1.2

0.1이 ■개이면 0.■,
0.1이 ■●개이면 ■.●이예요.

OX 퀴즈

옳으면 ○에, 틀리면 ✕에 ○표 하세요.

0.1이 6개인 수 ⇨ 0.6

❶ ○ ✕

0.1이 25개인 수 ⇨ 0.25

❷ ○ ✕

정답 ❶ ○에 ○표 ❷ ✕에 ○표

똑똑한 계산 연습

▶정답 및 풀이 22쪽

제한 시간 3분

▢ 안에 알맞은 수를 써넣으세요.

1. 0.1이 2개인 수 ⇨ ▢
2. 0.1이 5개인 수 ⇨ ▢
3. 0.1이 13개인 수 ⇨ ▢
4. 0.1이 21개인 수 ⇨ ▢
5. 0.1이 45개인 수 ⇨ ▢
6. 0.1이 68개인 수 ⇨ ▢
7. 0.8 ⇨ 0.1이 ▢개인 수
8. 0.6 ⇨ 0.1이 ▢개인 수
9. 1.4 ⇨ 0.1이 ▢개인 수
10. 3.7 ⇨ 0.1이 ▢개인 수
11. 5.6 ⇨ 0.1이 ▢개인 수
12. 7.4 ⇨ 0.1이 ▢개인 수

소수 알아보기 ④

5 mm=**0.5** cm이므로

22 cm **5** mm=**22.5** cm

똑똑한 하루 계산법

• mm와 cm의 관계

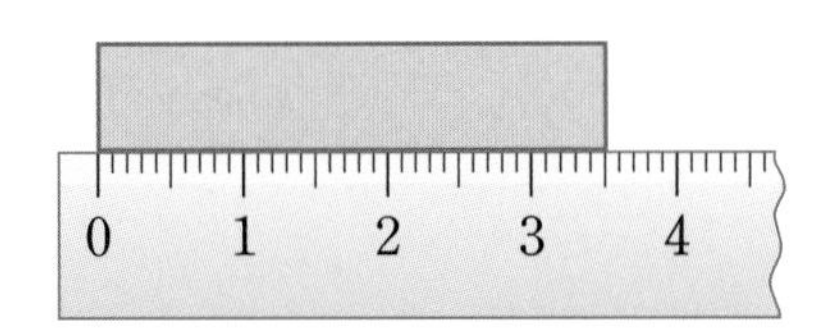

색 테이프는 3 cm보다 5 mm 더 깁니다.

3 cm 5 mm

⇨ 3 cm보다 5 mm 더 긴 길이 (→ 0.5 cm)

⇨ 3.5 cm

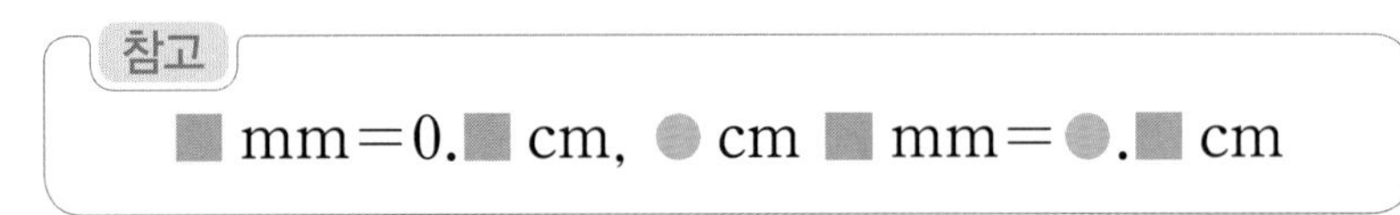
참고

■ mm=0.■ cm, ● cm ■ mm=●.■ cm

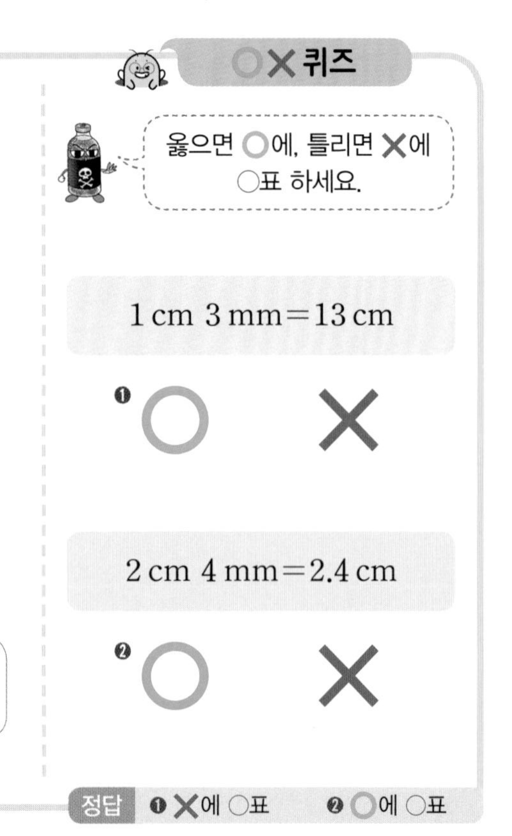

똑똑한 계산 연습

▶정답 및 풀이 22쪽

제한 시간 3분

▢ 안에 알맞은 소수를 써넣으세요.

① 3 mm=▢ cm

② 9 mm=▢ cm

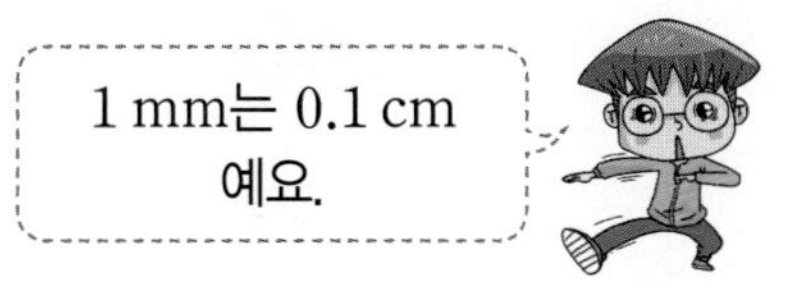

③ 5 mm=▢ cm

④ 8 mm=▢ cm

⑤ 1 cm 1 mm=▢ cm

⑥ 3 cm 8 mm=▢ cm

⑦ 26 mm=▢ cm

⑧ 57 mm=▢ cm

⑨ 4 cm 3 mm=▢ cm

⑩ 7 cm 2 mm=▢ cm

⑪ 65 mm=▢ cm

⑫ 89 mm=▢ cm

기초 집중 연습

다음을 소수로 쓰고 읽어 보세요.

1-1 0.1이 6개인 수

쓰기 ____________

읽기 ____________

1-2 0.1이 9개인 수

쓰기 ____________

읽기 ____________

1-3 0.1이 34개인 수

쓰기 ____________

읽기 ____________

1-4 0.1이 57개인 수

쓰기 ____________

읽기 ____________

잘못 나타낸 것에 ×표 하세요.

2-1

5 mm=0.5 cm	
27 mm=2.7 cm	
3 cm 1 mm=31 cm	

2-2

19 mm=1.9 cm	
6 cm 3 mm=6.3 mm	
4.7 cm=4 cm 7 mm	

2-3

6 mm=0.6 cm	
5 cm 2 mm=5.2 mm	
14 mm=1.4 cm	

2-4

1 cm 5 mm=15 cm	
38 mm=3.8 cm	
6.9 cm=6 cm 9 mm	

제한 시간 | 9분

생활 속 문제

책상 위에 있는 물건의 길이는 몇 cm인지 소수로 나타내어 보세요.

3-1

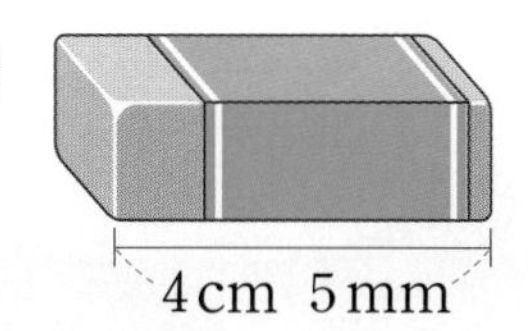

4cm 5mm

☐ cm

3-2

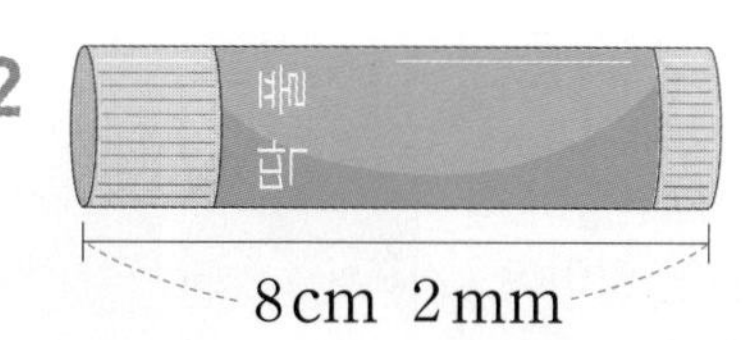

8cm 2mm

☐ cm

3-3

9cm 4mm

☐ cm

3-4

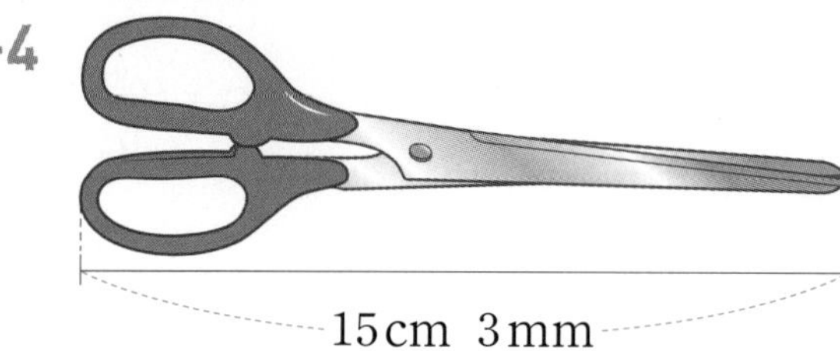

15cm 3mm

☐ cm

문장 읽고 문제 해결하기

4-1 장난감 개구리가 0.1 m씩 5번 뛴 거리를 m로 나타내면?

0.1 m씩 5번 ⇨ ☐ m

4-2 장난감 개구리가 0.1 m씩 8번 뛴 거리를 m로 나타내면?

0.1 m씩 8번 ⇨ ☐ m

4-3 리본의 길이가 5 cm보다 3 mm 더 길 때, 리본의 길이는 몇 cm인지 소수로 나타내면?

5 cm ☐ mm = ☐ cm

4-4 끈의 길이가 9 cm보다 7 mm 더 길 때, 끈의 길이는 몇 cm인지 소수로 나타내면?

9 cm ☐ mm = ☐ cm

소수의 크기 비교하기 ①

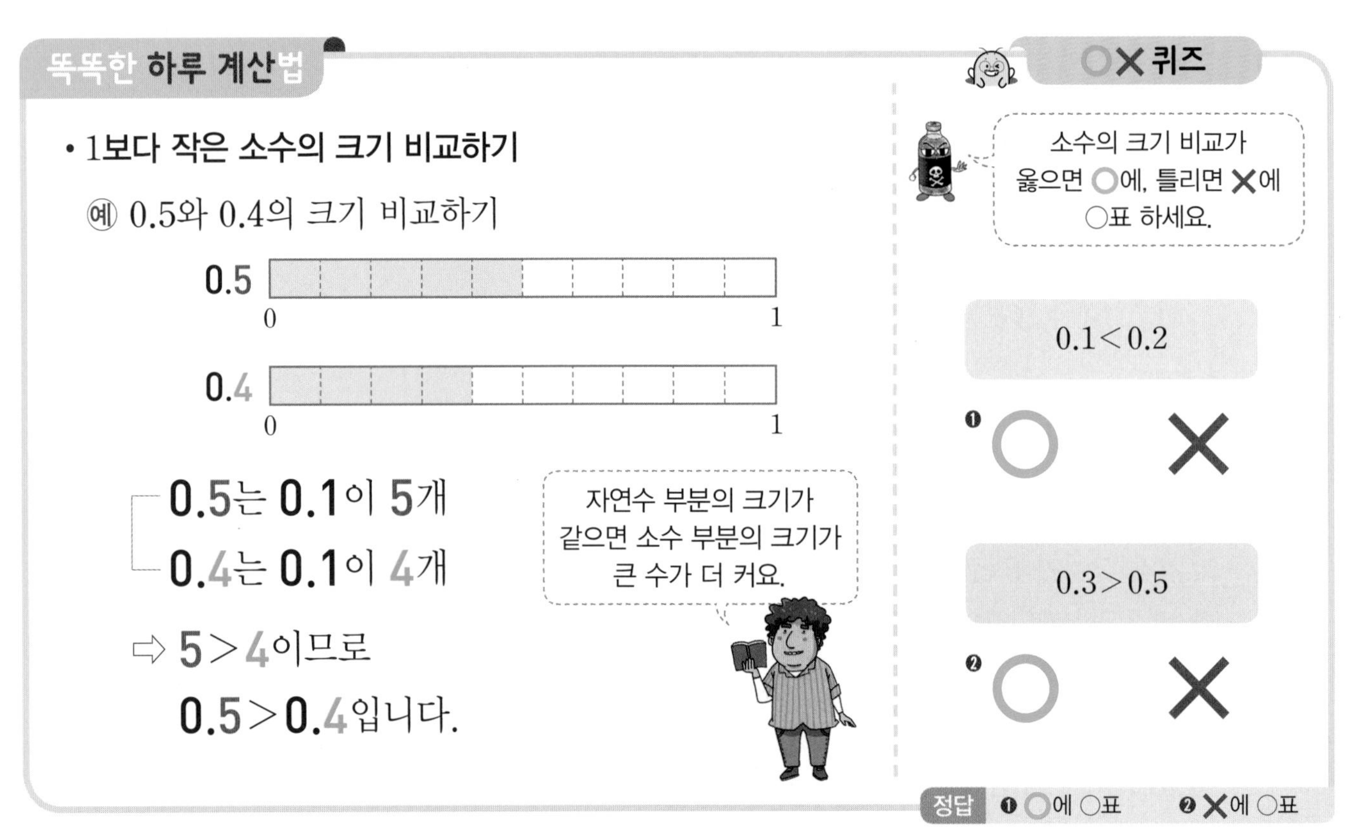

똑똑한 하루 계산법

• 1보다 작은 소수의 크기 비교하기

㉠ 0.5와 0.4의 크기 비교하기

0.5는 0.1이 5개
0.4는 0.1이 4개

⇨ $5>4$이므로
$0.5>0.4$입니다.

OX 퀴즈

소수의 크기 비교가 옳으면 ○에, 틀리면 ✕에 ○표 하세요.

❶ $0.1<0.2$

○ ✕

❷ $0.3>0.5$

○ ✕

정답 ❶ ○에 ○표 ❷ ✕에 ○표

똑똑한 계산 연습

▶정답 및 풀이 23쪽

제한 시간 | 3분

두 소수의 크기를 비교하여 ○ 안에 $>$, $=$, $<$를 알맞게 써넣으세요.

1. 0.1 ○ 0.3
2. 0.5 ○ 0.2
3. 0.6 ○ 0.4
4. 0.8 ○ 0.7
5. 0.2 ○ 0.7
6. 0.9 ○ 0.5
7. 0.6 ○ 0.5
8. 0.4 ○ 0.9
9. 0.3 ○ 0.1이 3개인 수
10. 0.5 ○ 0.1이 4개인 수
11. 0.8 ○ 0.1이 6개인 수
12. 0.4 ○ 0.1이 7개인 수

소수의 크기 비교하기 ②

9.3과 8.6의 크기 비교하기

- 9.3은 0.1이 93개
- 8.6은 0.1이 86개

⇨ 93 > 86이므로 9.3 > 8.6

똑똑한 하루 계산법

• 자연수가 있는 소수의 크기 비교하기

자연수 부분의 크기가 다른 경우

예 1.6과 2.3의 크기 비교하기

1.6 (수직선 0, 1, 2, 3)

2.3 (수직선 0, 1, 2, 3)

1.6 < 2.3 (1 < 2)

자연수 부분이 다르면
⇨ 자연수 부분이 클수록 큰 수

자연수 부분의 크기가 같은 경우

예 1.9와 1.5의 크기 비교하기

1.9 (수직선 0, 1, 2)

1.5 (수직선 0, 1, 2)

1.9 > 1.5 (9 > 5)

자연수 부분이 같으면
⇨ 소수 부분이 클수록 큰 수

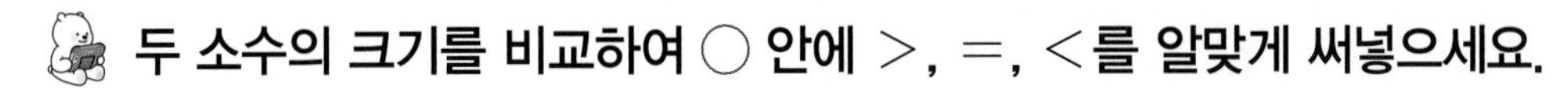

똑똑한 계산 연습

▶정답 및 풀이 23쪽

제한 시간 3분

두 소수의 크기를 비교하여 ○ 안에 >, =, <를 알맞게 써넣으세요.

① 1.7 ○ 1.5

② 2.0 ○ 1.8

③ 4.3 ○ 4.9

④ 5.1 ○ 3.5

⑤ 2.8 ○ 2.7

⑥ 5.2 ○ 5.3

⑦ 6.0 ○ 6.1

⑧ 7.9 ○ 8.2

⑨ 1.2 ○ 0.1이 16개인 수

⑩ 2.5 ○ 0.1이 25개인 수

⑪ 5.4 ○ 0.1이 48개인 수

⑫ 6.3 ○ 0.1이 64개인 수

기초 집중 연습

두 소수의 크기를 비교하여 빈칸에 더 큰 수를 써넣으세요.

1-1
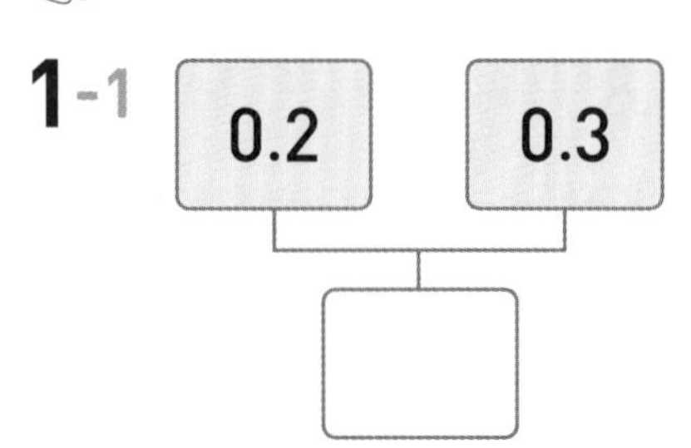

1-2
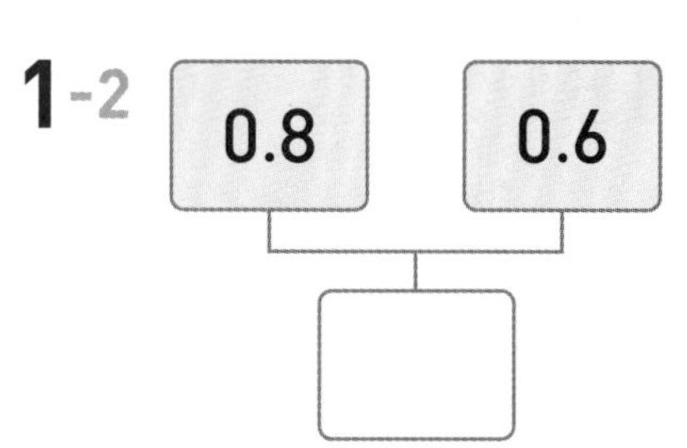

1-3
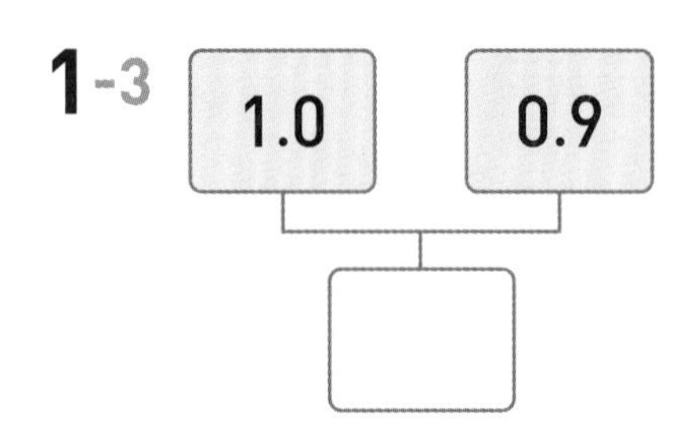

1-4
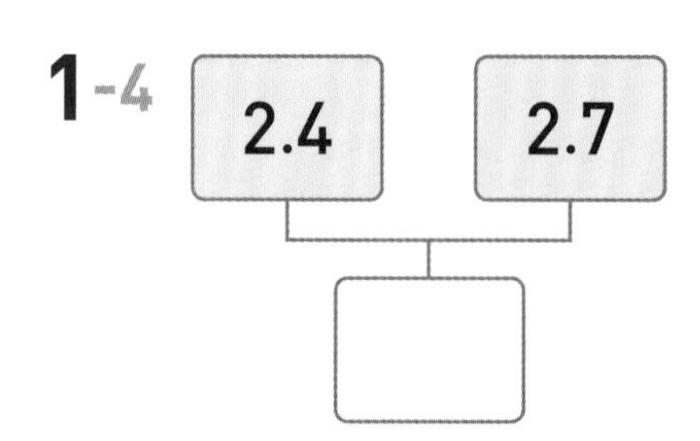

1-5
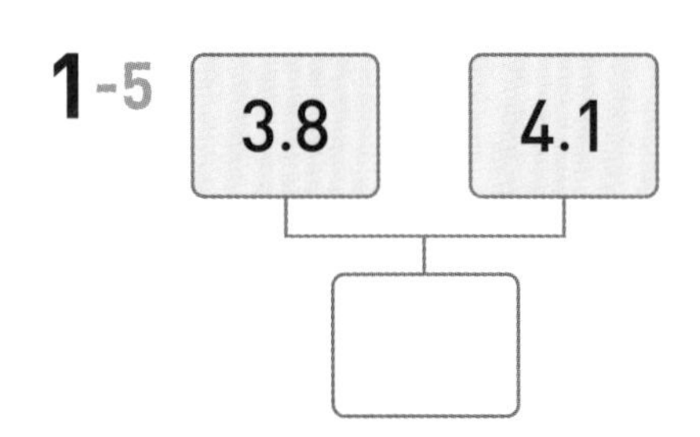

1-6
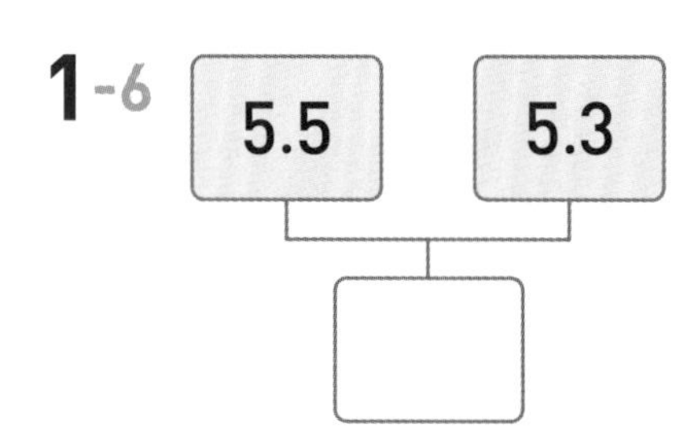

□ 안에 들어갈 수 있는 수를 모두 찾아 ○표 하세요.

2-1 $0.\square < 0.4$ (1, 2, 3, 4, 5, 6, 7, 8, 9)

2-2 $3.5 < 3.\square$ (1, 2, 3, 4, 5, 6, 7, 8, 9)

제한 시간 9분

생활 속 문제

집에서 더 가까운 곳을 찾아 ○표 하세요.

3-1

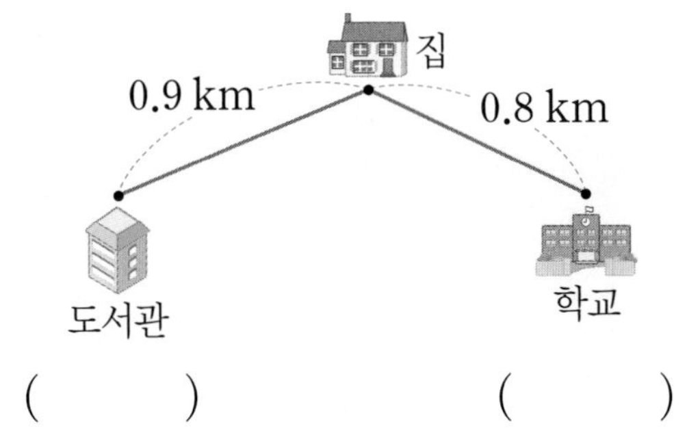

( ) ( )

3-2

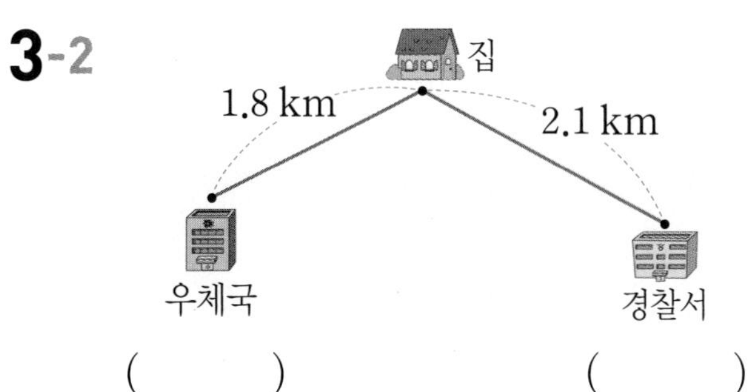

( ) ( )

3-3

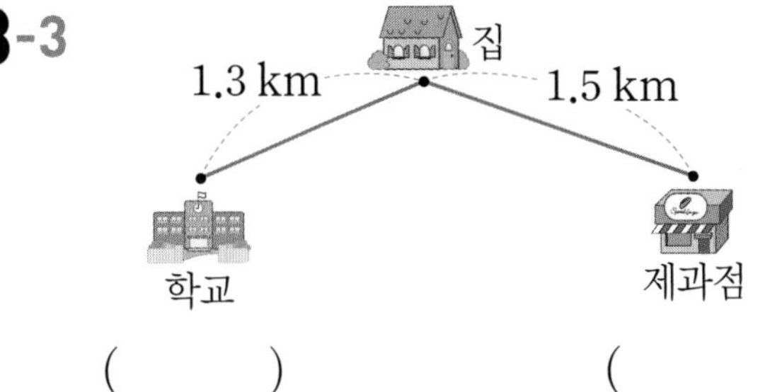

( ) ( )

3-4

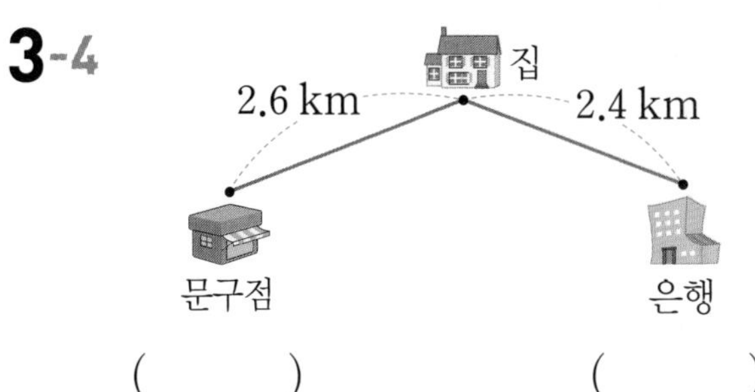

( ) ( )

문장 읽고 문제 해결하기

4-1 0.5와 0.7 중 더 큰 수는?

0.5 ○ 0.7 ⇨ 답 [ ]

4-2 3.4와 3.8 중 더 작은 수는?

3.4 ○ 3.8 ⇨ 답 [ ]

4-3 빨강 끈 0.4 m와 노랑 끈 0.2 m 중 더 긴 끈은?

0.4 ○ 0.2 ⇨ 답 [ ]

4-4 연필 15.1 cm와 볼펜 14.5 cm 중 더 짧은 학용품은?

15.1 ○ 14.5 ⇨ 답 [ ]

4주 5일

누구나 100점 맞는 TEST

색칠한 부분을 분수로 나타내어 보세요.

1 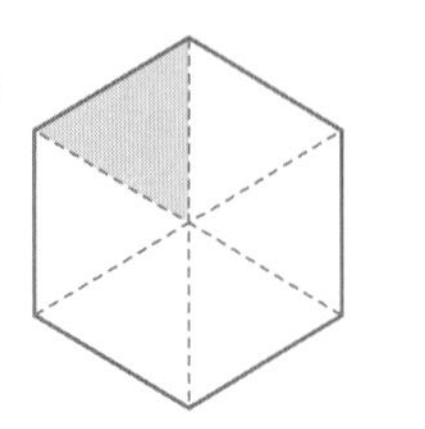 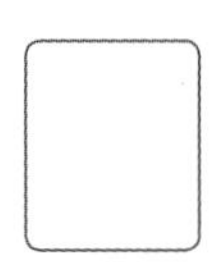

2 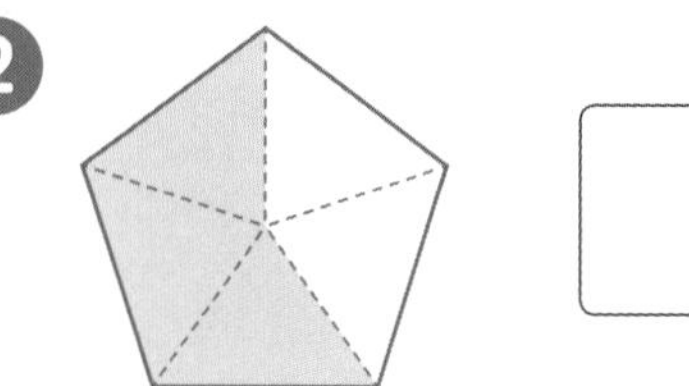

3 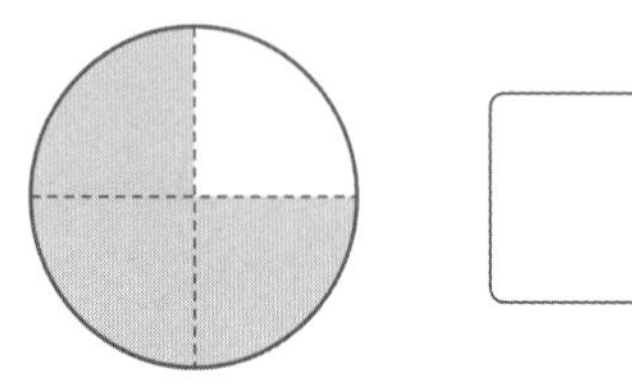

4 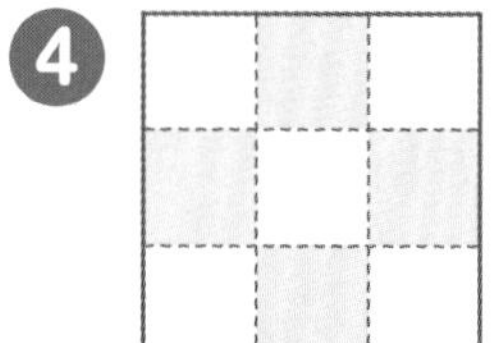

그림을 보고 ☐ 안에 알맞은 소수를 써넣으세요.

5 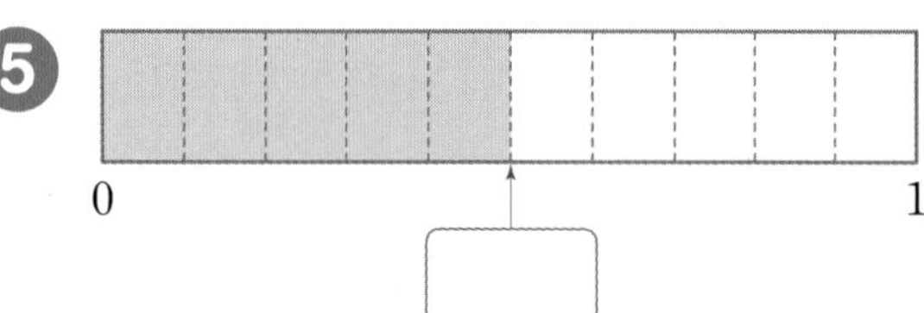

6 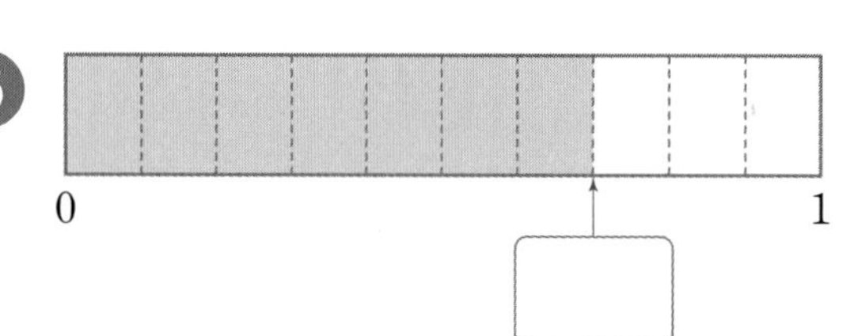

7 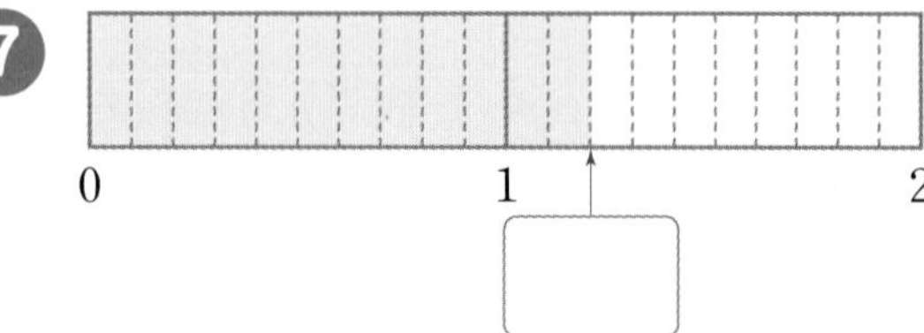

8 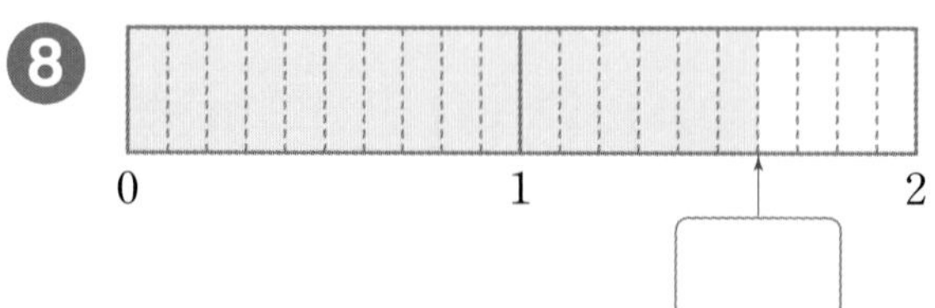

⑨ 0.1이 9개인 수 ⇨ □

⑩ 0.1이 14개인 수 ⇨ □

⑪ 32 mm= □ cm

⑫ 27 mm= □ cm

⑬ 6 cm 4 mm= □ cm

⑭ 8 cm 1 mm= □ cm

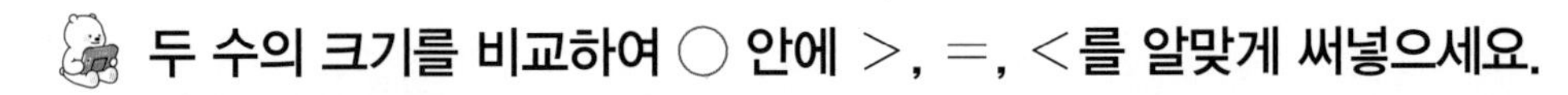

⑮ $\frac{6}{8}$ ○ $\frac{5}{8}$

⑯ $\frac{3}{10}$ ○ $\frac{7}{10}$

⑰ $\frac{1}{5}$ ○ $\frac{1}{2}$

⑱ $\frac{1}{7}$ ○ $\frac{1}{3}$

⑲ 1.6 ○ 2.1

⑳ 2.5 ○ 2.3

제한 시간 안에 정확하게
모두 풀었다면 여러분은 진정한 **계산왕!**

창의 · 융합 · 코딩

비밀번호를 찾아라!

로진이가 가방을 열 수 있게 비밀번호를 찾아보세요.

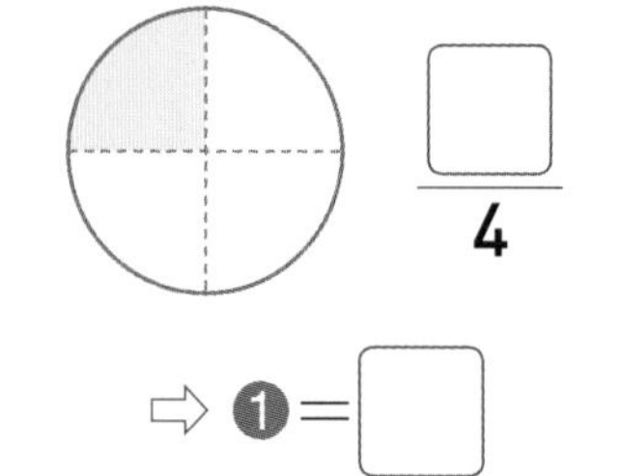

$\frac{\square}{4}$

⇨ ❶= □

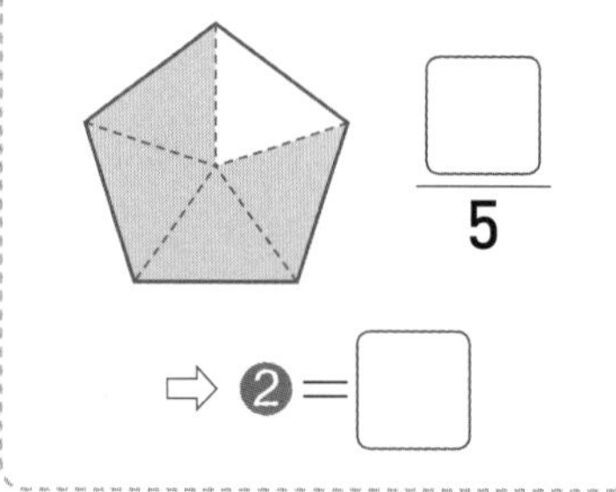

$\frac{\square}{5}$

⇨ ❷= □

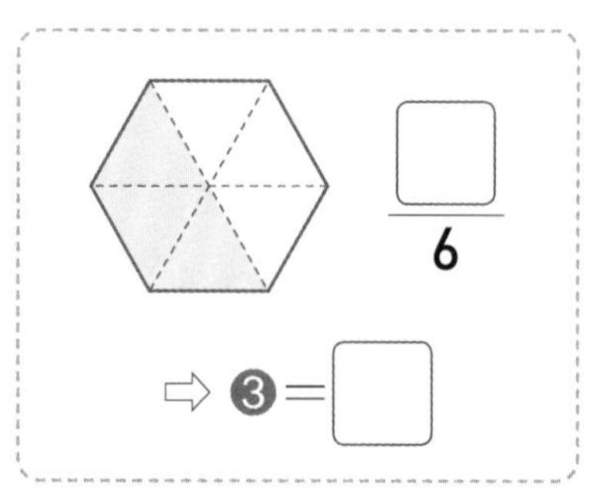

$\frac{\square}{6}$

⇨ ❸= □

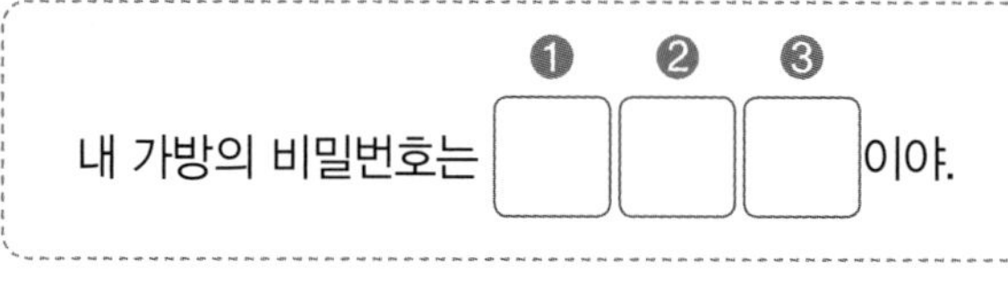

내 가방의 비밀번호는 ❶□ ❷□ ❸□ 이야.

▶정답 및 풀이 24쪽

우유를 가장 많이 짠 모둠은?

융합 2 목장에서 우유 짜는 체험을 했습니다. 우유를 가장 많이 짠 모둠을 구하세요.

각 모둠이 짠 우유의 양을 소수로 나타내어 보자.

1모둠

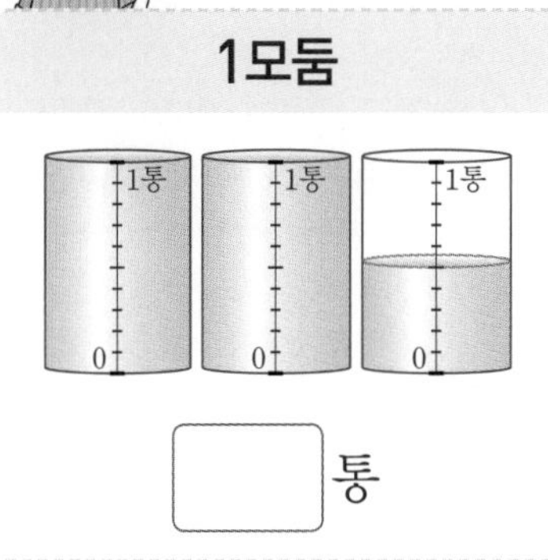

□통

2모둠

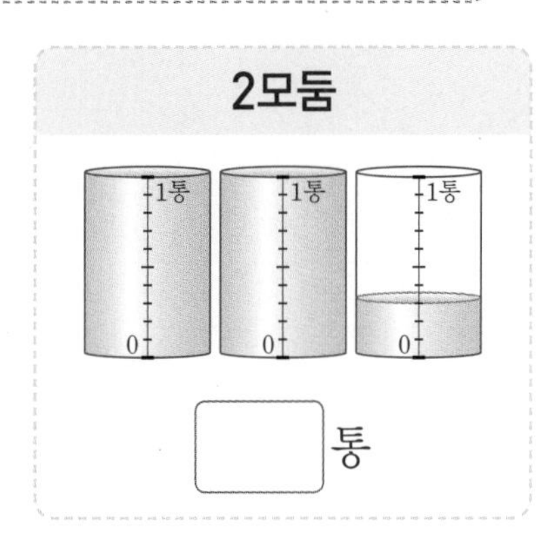

□통

3모둠

□통

답 ____________

창의·융합·코딩

융합 3 다음은 여러 나라의 국기입니다. 각 국기에서 빨간색 부분은 전체의 얼마인지 분수로 나타내어 보세요.

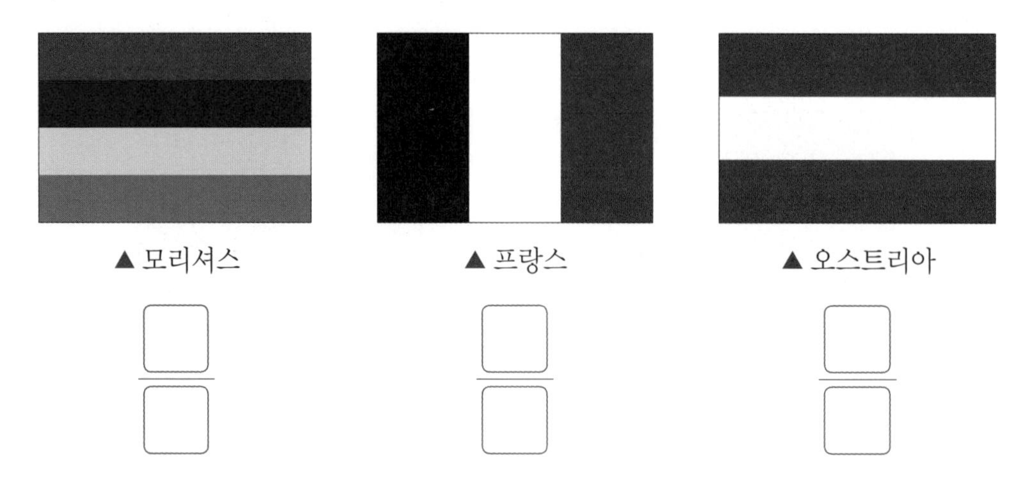

창의 4 보기와 같이 □ 안에 있는 분수가 되도록 길을 선으로 이어 보세요.

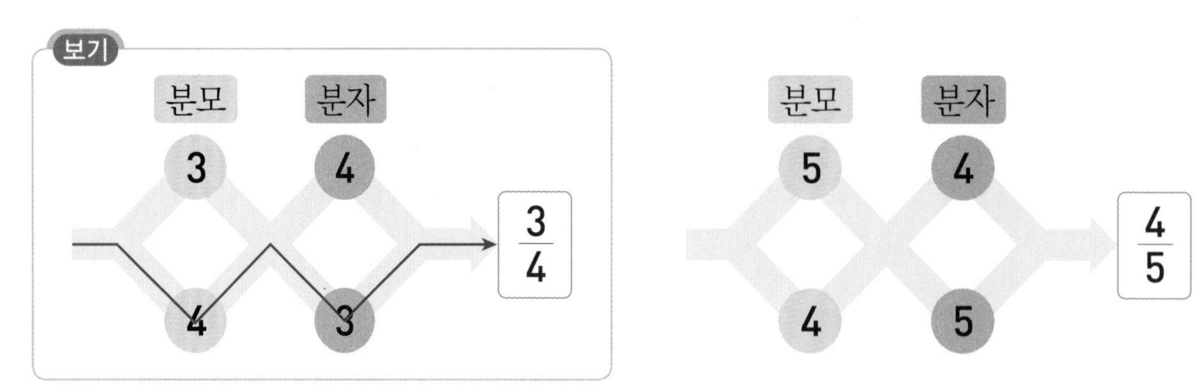

▶정답 및 풀이 24쪽

융합 5 장수풍뎅이와 사슴벌레의 길이를 소수로 나타내어 보세요.

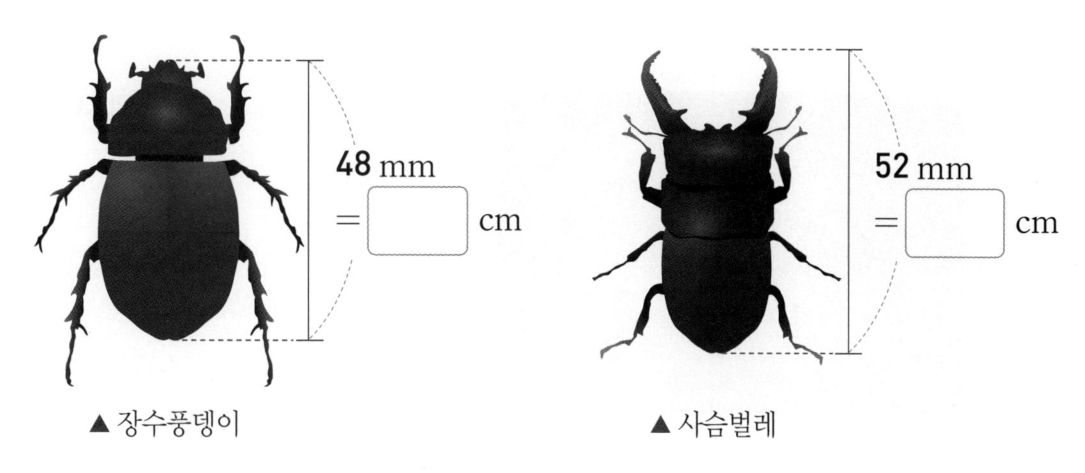

▲ 장수풍뎅이 ▲ 사슴벌레

융합 6 다음은 이집트의 호루스의 눈입니다. 호루스의 눈에 적힌 단위분수 중 가장 큰 수와 가장 작은 수를 차례로 구하세요.

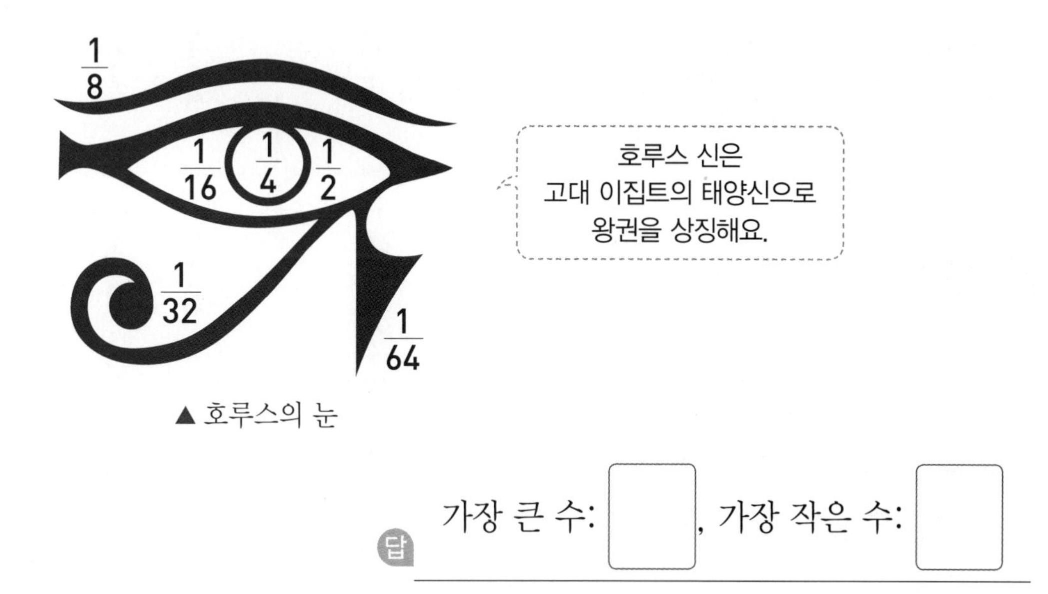

▲ 호루스의 눈

답 가장 큰 수: □, 가장 작은 수: □

특강 창의·융합·코딩

다음은 지구의 크기를 1로 보았을 때 행성들의 크기를 나타낸 것입니다. 지구보다 작은 행성을 모두 찾아 쓰세요.

▲ 태양계

행성들의 크기

행성	지구	수성	금성	천왕성
크기	1	0.4	0.9	4.0
행성	목성	화성	토성	해왕성
크기	11.2	0.5	9.4	3.9

 답

크기 비교를 바르게 한 곳을 따라가며 선을 그어 보세요.

▶정답 및 풀이 24쪽

보기와 같이 명령에 따라 선을 그리고, 전체에 대하여 선으로 둘러싸인 부분의 크기를 분수로 나타내어 보세요.

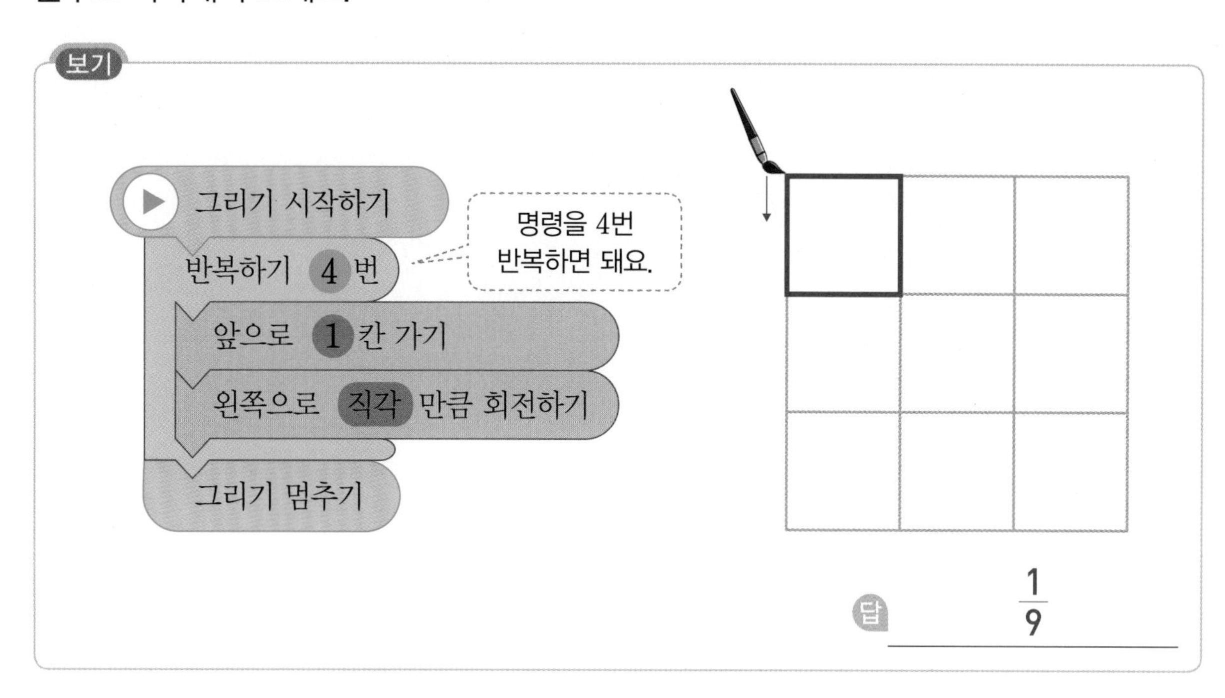

선으로 둘러싸인 부분은 전체를 똑같이 9로 나눈 것 중의 1이므로 $\frac{1}{9}$입니다.

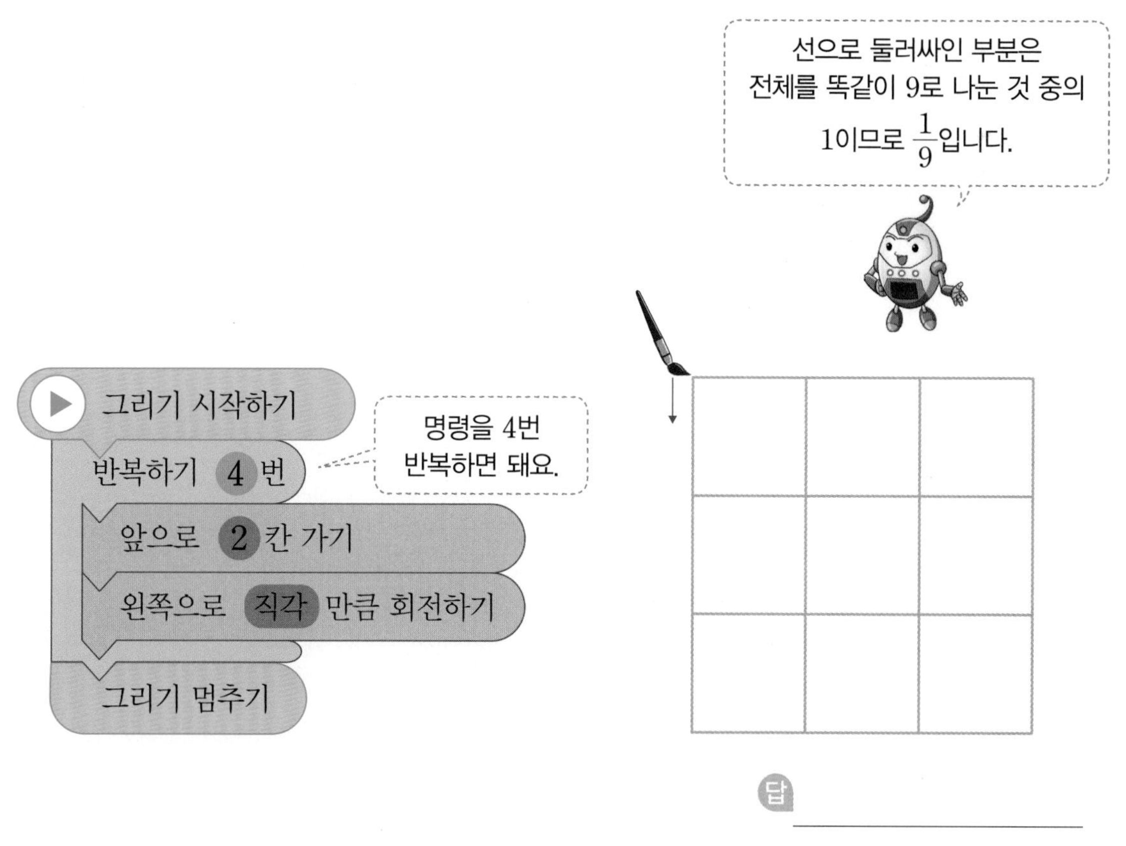

답 ______________

4주 특강

MEMO

쉽다!

10분이면 하루 치 공부를 마칠 수 있는 커리큘럼으로,
아이들이 초등 학습에 쉽고 재미있게 접근할 수 있도록 구성하였습니다.

재미있다!

교과서는 물론 생활 속에서 쉽게 접할 수 있는 다양한 소재와
재미있는 게임 형식의 문제로 흥미로운 학습이 가능합니다.

똑똑하다!

초등학생에게 꼭 필요한 학습 지식 습득은 물론
창의력 확장까지 가능한 교재로 올바른 공부습관을 가지는 데 도움을 줍니다.

정답 및 풀이

똑 똑 한

하루 계산

초등 수학 3A

3학년 수준

정답 및 풀이
포인트 3가지

- 혼자서도 이해할 수 있는 문제 풀이
- 자세한 풀이 제시
- 참고·주의 등 풍부한 보충 설명

정답 및 풀이

1주 · 덧셈과 뺄셈

6~7쪽 이번에 배울 내용을 알아볼까요? ②

1-1 60　　1-2 31
1-3 42　　1-4 130
2-1 37　　2-2 26
2-3 46　　2-4 58

[1-1~1-4] 각 자리 수끼리의 합이 10이거나 10보다 크면 받아올려 계산합니다.

[2-1~2-4] 같은 자리 수끼리 뺄셈을 할 수 없을 때에는 받아내려 계산합니다.

9쪽 똑똑한 계산 연습

① (위에서부터) 50 ; 50, 859
② (위에서부터) 300 ; 300, 369
③ (위에서부터) 300 ; 4 ; 300, 4, 394
④ (위에서부터) 70 ; 600 ; 70, 600, 676
⑤ (위에서부터) 500 ; 60 ; 500, 60, 569
⑥ (위에서부터) 8 ; 800 ; 8, 800, 858

① 백의 자리부터 더하여 계산합니다.

② 일의 자리부터 더하여 계산합니다.

11쪽 똑똑한 계산 연습

① 554　　② 584
③ 289　　④ 476
⑤ 938　　⑥ 767
⑦ 739　　⑧ 858
⑨ 392　　⑩ 678

①~⑩ 같은 자리 수끼리 더하여 계산합니다.

12~13쪽 기초 집중 연습

1-1 (위에서부터) 400 ; 400, 459
1-2 (위에서부터) 97 ; 97, 597
1-3 (위에서부터) 80 ; 6 ; 80, 6, 786
1-4 (위에서부터) 500 ; 5 ; 500, 5, 585
2-1 479　　2-2 654
2-3 686　　2-4 758
3-1 594　　3-2 787
3-3 313, 659　　3-4 415, 776
4-1 112, 439　　4-2 723, 865
4-3 121, 337　　4-4 231, 649

[1-1~1-2] 십과 일의 자리를 먼저 더하여 계산합니다.

[1-3~1-4] 백의 자리부터 더하여 계산합니다.

2-1 $323+156=479$

2-2 $403+251=654$

2-3 $134+552=686$

2-4 $615+143=758$

3-1 $\begin{array}{r} 3\ 2\ 3 \\ +\ 2\ 7\ 1 \\ \hline 5\ 9\ 4 \end{array}$ (cm)

3-2 $\begin{array}{r} 3\ 3\ 5 \\ +\ 4\ 5\ 2 \\ \hline 7\ 8\ 7 \end{array}$ (cm)

3-3 $\begin{array}{r} 3\ 4\ 6 \\ +\ 3\ 1\ 3 \\ \hline 6\ 5\ 9 \end{array}$ (cm)

3-4 $\begin{array}{r} 4\ 1\ 5 \\ +\ 3\ 6\ 1 \\ \hline 7\ 7\ 6 \end{array}$ (cm)

4-1 ■보다 ▲만큼 더 큰 수
⇨ ■+▲
⇨ $327+112=439$

4-2 ■와 ▲의 합
⇨ ■+▲
⇨ $723+142=865$

4-3 (위인전의 수)=(동화책의 수)+121
=216+121=337(권)

4-4 (야구장에 온 사람 수)
=(야구장에 온 여자 수)+(야구장에 온 남자 수)
=231+418=649(명)

정답 및 풀이

15쪽 똑똑한 계산 연습

① 342 ② 883
③ 751 ④ 953
⑤ 590 ⑥ 785
⑦ 473 ⑧ 891
⑨ 671 ⑩ 698

참고
일의 자리 수끼리의 합이 10이거나 10보다 크므로 십의 자리로 받아올려 계산합니다.

①
$$\begin{array}{cccc} & & 1 & \\ & 2 & 2 & 8 \\ + & 1 & 1 & 4 \\ \hline & 3 & 4 & 2 \end{array}$$

②
$$\begin{array}{cccc} & & 1 & \\ & 5 & 2 & 9 \\ + & 3 & 5 & 4 \\ \hline & 8 & 8 & 3 \end{array}$$

③
$$\begin{array}{cccc} & & 1 & \\ & 3 & 1 & 9 \\ + & 4 & 3 & 2 \\ \hline & 7 & 5 & 1 \end{array}$$

④
$$\begin{array}{cccc} & & 1 & \\ & 8 & 2 & 6 \\ + & 1 & 2 & 7 \\ \hline & 9 & 5 & 3 \end{array}$$

17쪽 똑똑한 계산 연습

① 617 ② 739
③ 554 ④ 828
⑤ 515 ⑥ 846
⑦ 437 ⑧ 829
⑨ 948 ⑩ 725

참고
십의 자리 수끼리의 합이 10이거나 10보다 크므로 백의 자리로 받아올려 계산합니다.

①
$$\begin{array}{cccc} & 1 & & \\ & 2 & 2 & 3 \\ + & 3 & 9 & 4 \\ \hline & 6 & 1 & 7 \end{array}$$

②
$$\begin{array}{cccc} & 1 & & \\ & 4 & 4 & 6 \\ + & 2 & 9 & 3 \\ \hline & 7 & 3 & 9 \end{array}$$

③
$$\begin{array}{cccc} & 1 & & \\ & 2 & 7 & 3 \\ + & 2 & 8 & 1 \\ \hline & 5 & 5 & 4 \end{array}$$

④
$$\begin{array}{cccc} & 1 & & \\ & 2 & 3 & 4 \\ + & 5 & 9 & 4 \\ \hline & 8 & 2 & 8 \end{array}$$

18~19쪽 기초 집중 연습

1-1 591 **1-2** 659
1-3 543 **1-4** 902
2-1 281 **2-2** 576
2-3 626 **2-4** 938
3-1 713 **3-2** 125, 484
3-3 263, 447 **3-4** 277, 308, 585
4-1 155, 371 **4-2** 139, 254
4-3 190, 647 **4-4** 162, 316

1-1
$$\begin{array}{cccc} & & 1 & \\ & 4 & 5 & 6 \\ + & 1 & 3 & 5 \\ \hline & 5 & 9 & 1 \end{array}$$

1-2
$$\begin{array}{cccc} & 1 & & \\ & 3 & 7 & 7 \\ + & 2 & 8 & 2 \\ \hline & 6 & 5 & 9 \end{array}$$

1-3
$$\begin{array}{cccc} & & 1 & \\ & 3 & 2 & 7 \\ + & 2 & 1 & 6 \\ \hline & 5 & 4 & 3 \end{array}$$

1-4
$$\begin{array}{cccc} & 1 & & \\ & 4 & 7 & 1 \\ + & 4 & 3 & 1 \\ \hline & 9 & 0 & 2 \end{array}$$

2-1
$$\begin{array}{cccc} & & 1 & \\ & 1 & 3 & 2 \\ + & 1 & 4 & 9 \\ \hline & 2 & 8 & 1 \end{array}$$

2-3
$$\begin{array}{cccc} & 1 & & \\ & 4 & 9 & 2 \\ + & 1 & 3 & 4 \\ \hline & 6 & 2 & 6 \end{array}$$

3-1 (집~은행)+(은행~학교)
=482+231=713 (m)

3-2 359+125=484 (m)

3-3 263+184=447 (m)

3-4 277+308=585 (m)

4-1 ■와 ▲의 합 ⇨ ■+▲
⇨ 216+155=371

4-2 ■보다 ▲만큼 더 큰 수
⇨ ■+▲
⇨ 139+115=254

4-3 (오늘 주운 밤의 수)=(어제 주운 밤의 수)+190
=457+190=647(개)

4-4 (빨간 색종이의 수)+(파란 색종이의 수)
=162+154=316(장)

21쪽 똑똑한 계산 연습

① 653 ② 841
③ 541 ④ 950
⑤ 742 ⑥ 726
⑦ 615 ⑧ 685
⑨ 521 ⑩ 524

참고
각 자리 수끼리의 합이 10이거나 10보다 크면 받아올려 계산합니다.

① $\begin{array}{r} {}^{1}\ {}^{1}\ \ \\ 3\ 6\ 5 \\ +\ 2\ 8\ 8 \\ \hline 6\ 5\ 3 \end{array}$

② $\begin{array}{r} {}^{1}\ {}^{1}\ \ \\ 5\ 9\ 6 \\ +\ 2\ 4\ 5 \\ \hline 8\ 4\ 1 \end{array}$

③ $\begin{array}{r} {}^{1}\ {}^{1}\ \ \\ 3\ 7\ 2 \\ +\ 1\ 6\ 9 \\ \hline 5\ 4\ 1 \end{array}$

④ $\begin{array}{r} {}^{1}\ {}^{1}\ \ \\ 7\ 6\ 7 \\ +\ 1\ 8\ 3 \\ \hline 9\ 5\ 0 \end{array}$

23쪽 똑똑한 계산 연습

① 1612 ② 1211
③ 1312 ④ 1046
⑤ 1153 ⑥ 1301
⑦ 1722 ⑧ 1781
⑨ 1520 ⑩ 1302

참고
백의 자리 수끼리의 합이 10이거나 10보다 크면 1을 천의 자리에 씁니다.

① $\begin{array}{r} {}^{1}\ {}^{1}\ \ \\ 8\ 2\ 5 \\ +\ 7\ 8\ 7 \\ \hline 1\ 6\ 1\ 2 \end{array}$

② $\begin{array}{r} {}^{1}\ {}^{1}\ \ \\ 5\ 3\ 9 \\ +\ 6\ 7\ 2 \\ \hline 1\ 2\ 1\ 1 \end{array}$

③ $\begin{array}{r} {}^{1}\ {}^{1}\ \ \\ 4\ 7\ 6 \\ +\ 8\ 3\ 6 \\ \hline 1\ 3\ 1\ 2 \end{array}$

④ $\begin{array}{r} {}^{1}\ {}^{1}\ \ \\ 6\ 5\ 9 \\ +\ 3\ 8\ 7 \\ \hline 1\ 0\ 4\ 6 \end{array}$

24~25쪽 기초 집중 연습

1-1 715 **1-2** 951
1-3 1215 **1-4** 1424
2-1 451 **2-2** 642
2-3 1355 **2-4** 1133
3-1 247, 712 **3-2** 176, 371
3-3 442 **3-4** 1144
4-1 515, 1214 **4-2** 147, 425
4-3 745, 1343 **4-4** 264, 522

1-1 $218+497=715$

1-2 $653+298=951$

1-3 $597+618=1215$

1-4 $465+959=1424$

2-1 $\square=194+257=451$

2-2 $\square=368+274=642$

2-3 $\square=568+787=1355$

2-4 $\square=854+279=1133$

3-1 $\begin{array}{r} {}^{1}\ {}^{1}\ \ \\ 4\ 6\ 5 \\ +\ 2\ 4\ 7 \\ \hline 7\ 1\ 2 \end{array}$ (kg)

3-2 $\begin{array}{r} {}^{1}\ {}^{1}\ \ \\ 1\ 7\ 6 \\ +\ 1\ 9\ 5 \\ \hline 3\ 7\ 1 \end{array}$ (kg)

3-3 돼지: 247 kg, 양: 195 kg
⇨ (돼지의 무게)+(양의 무게)
=247+195=442 (kg)

3-4 젖소: 465 kg, 말: 679 kg
⇨ (젖소의 무게)+(말의 무게)
=465+679=1144 (kg)

4-1 (수확한 사과의 수)
=(수확한 복숭아의 수)+515
=699+515=1214(개)

4-2 (비행기에 탄 어린이 수)
=(비행기에 탄 어른 수)+147
=278+147=425(명)

4-3 (입장한 사람 수)
=(입장한 남자 수)+(입장한 여자 수)
=745+598=1343(명)

정답
풀이

4-4 (수진이의 구슬 수)+(정우의 구슬 수)
=258+264=522(개)

27쪽 똑똑한 계산 연습

① (위에서부터) 5 ; 5, 225
② (위에서부터) 10 ; 10, 412
③ (위에서부터) 10 ; 3 ; 10, 3, 513
④ (위에서부터) 1 ; 700 ; 1, 700, 721
⑤ (위에서부터) 400 ; 6 ; 400, 6, 436
⑥ (위에서부터) 7 ; 50 ; 7, 50, 357

① 백의 자리부터 빼어 계산합니다.

② 일의 자리부터 빼어 계산합니다.

29쪽 똑똑한 계산 연습

① 722	② 133
③ 205	④ 218
⑤ 521	⑥ 522
⑦ 173	⑧ 324
⑨ 241	⑩ 330

①~⑩ 같은 자리 수끼리 빼어 계산합니다.

30~31쪽 기초 집중 연습

1-1 (위에서부터) 200 ; 200, 281
1-2 (위에서부터) 45 ; 45, 145
1-3 (위에서부터) 400 ; 6 ; 400, 6, 446
1-4 (위에서부터) 30 ; 1 ; 30, 1, 531

2-1 416	2-2 324
2-3 521	2-4 232
3-1 123	3-2 132
3-3 254, 244	3-4 375, 253
4-1 253, 134	4-2 275, 151

[1-1~1-2] 십과 일의 자리를 먼저 빼어 계산합니다.

[1-3~1-4] 백의 자리부터 빼어 계산합니다.

2-1 837−421=416

2-2 569−245=324

2-3 625−104=521

2-4 369−137=232

3-1 $\begin{array}{r} 498 \\ -\,375 \\ \hline 123 \end{array}$(권)

3-2 $\begin{array}{r} 254 \\ -\,122 \\ \hline 132 \end{array}$(권)

3-3 $\begin{array}{r} 498 \\ -\,254 \\ \hline 244 \end{array}$(권)

3-4 $\begin{array}{r} 375 \\ -\,122 \\ \hline 253 \end{array}$(권)

4-1 (은호가 접은 종이학 수)
=(수아가 접은 종이학 수)−253
=387−253=134(마리)

4-2 (안경을 안 쓴 학생 수)
=(전체 학생 수)−(안경을 쓴 학생 수)
=275−124=151(명)

33쪽 똑똑한 계산 연습

① 527	② 464
③ 458	④ 291
⑤ 608	⑥ 672
⑦ 235	⑧ 174
⑨ 119	⑩ 286

참고
• 일의 자리 수끼리 뺄 수 없으므로 십의 자리에서 받아내려 계산합니다.
• 십의 자리 수끼리 뺄 수 없으므로 백의 자리에서 받아내려 계산합니다.

① $\begin{array}{r} {\scriptstyle 4\ 10} \\ 6\,\not{5}\,6 \\ -\,1\,2\,9 \\ \hline 5\,2\,7 \end{array}$

② $\begin{array}{r} {\scriptstyle 6\ 10\ \ } \\ \not{7}\,4\,7 \\ -\,2\,8\,3 \\ \hline 4\,6\,4 \end{array}$

③
$$\begin{array}{r} {\scriptstyle 8\ 10} \\ 7\,\cancel{9}\,3 \\ -\ 3\,3\,5 \\ \hline 4\,5\,8 \end{array}$$

④
$$\begin{array}{r} {\scriptstyle 5\ 10\ \ } \\ \cancel{6}\,5\,3 \\ -\ 3\,6\,2 \\ \hline 2\,9\,1 \end{array}$$

35쪽 똑똑한 계산 연습

① 169	② 487
③ 366	④ 498
⑤ 185	⑥ 486
⑦ 363	⑧ 117
⑨ 677	⑩ 538

참고
각 자리 수끼리 뺄 수 없을 때에는 받아내려 계산합니다.

①
$$\begin{array}{r} {\scriptstyle 2\ 11\ 10} \\ \cancel{3}\,\cancel{2}\,5 \\ -\ 1\,5\,6 \\ \hline 1\,6\,9 \end{array}$$

②
$$\begin{array}{r} {\scriptstyle 7\ 12\ 10} \\ \cancel{8}\,\cancel{3}\,6 \\ -\ 3\,4\,9 \\ \hline 4\,8\,7 \end{array}$$

③
$$\begin{array}{r} {\scriptstyle 6\ 13\ 10} \\ \cancel{7}\,\cancel{4}\,4 \\ -\ 3\,7\,8 \\ \hline 3\,6\,6 \end{array}$$

④
$$\begin{array}{r} {\scriptstyle 5\ 12\ 10} \\ \cancel{6}\,\cancel{3}\,5 \\ -\ 1\,3\,7 \\ \hline 4\,9\,8 \end{array}$$

36~37쪽 기초 집중 연습

1-1 327	1-2 529
1-3 175	1-4 164
1-5 583	1-6 476
2-1 669	2-2 162
2-3 386	2-4 156
3-1 138, 316	3-2 516, 235
3-3 368	3-4 469
4-1 243, 182	4-2 800, 651

1-1
$$\begin{array}{r} {\scriptstyle 5\ 10} \\ 5\,\cancel{6}\,4 \\ -\ 2\,3\,7 \\ \hline 3\,2\,7 \end{array}$$

1-2
$$\begin{array}{r} {\scriptstyle 7\ 10} \\ 7\,\cancel{8}\,3 \\ -\ 2\,5\,4 \\ \hline 5\,2\,9 \end{array}$$

1-3
$$\begin{array}{r} {\scriptstyle 3\ 10\ \ } \\ \cancel{4}\,6\,7 \\ -\ 2\,9\,2 \\ \hline 1\,7\,5 \end{array}$$

1-4
$$\begin{array}{r} {\scriptstyle 2\ 10\ \ } \\ \cancel{3}\,2\,5 \\ -\ 1\,6\,1 \\ \hline 1\,6\,4 \end{array}$$

1-5
$$\begin{array}{r} {\scriptstyle 7\ 14\ 10} \\ \cancel{8}\,\cancel{5}\,1 \\ -\ 2\,6\,8 \\ \hline 5\,8\,3 \end{array}$$

1-6
$$\begin{array}{r} {\scriptstyle 5\ 11\ 10} \\ \cancel{6}\,\cancel{2}\,2 \\ -\ 1\,4\,6 \\ \hline 4\,7\,6 \end{array}$$

2-1 796－127＝669

2-2 305－143＝162

2-3 632－246＝386

2-4 514－358＝156

3-1 (심은 배추의 수)－(뽑은 배추의 수)
＝454－138＝316(포기)

3-2 (심은 무의 수)－(뽑은 무의 수)
＝516－281＝235(개)

3-3 (심은 배추의 수)－(뽑은 배추의 수)
＝657－289＝368(포기)

3-4 (심은 무의 수)－(뽑은 무의 수)
＝725－256＝469(개)

4-1 (남은 꽃의 수)
＝(전체 꽃의 수)－(판 꽃의 수)
＝425－243＝182(송이)

4-2 (처음 끈의 길이)－(사용한 끈의 길이)
＝800－149＝651 (cm)

38~39쪽 누구나 100점 맞는 TEST

❶	594	❷	484
❸	807	❹	923
❺	831	❻	1515
❼	397	❽	993
❾	855	❿	1015
⓫	254	⓬	623
⓭	249	⓮	292
⓯	189	⓰	343
⓱	520	⓲	426
⓳	245	⓴	188

❼
$$\begin{array}{rccc} & 2 & 8 & 2 \\ + & 1 & 1 & 5 \\ \hline & 3 & 9 & 7 \end{array}$$

❽
$$\begin{array}{rccc} & & 1 & \\ & 7 & 7 & 5 \\ + & 2 & 1 & 8 \\ \hline & 9 & 9 & 3 \end{array}$$

❾
$$\begin{array}{rccc} & 1 & & \\ & 4 & 7 & 2 \\ + & 3 & 8 & 3 \\ \hline & 8 & 5 & 5 \end{array}$$

❿
$$\begin{array}{rcccc} & & 1 & 1 & \\ & & 5 & 4 & 7 \\ + & & 4 & 6 & 8 \\ \hline & 1 & 0 & 1 & 5 \end{array}$$

⓱
$$\begin{array}{rccc} & 6 & 2 & 5 \\ - & 1 & 0 & 5 \\ \hline & 5 & 2 & 0 \end{array}$$

⓲
$$\begin{array}{rccc} & & 3 & 10 \\ & 8 & \not{4} & 3 \\ - & 4 & 1 & 7 \\ \hline & 4 & 2 & 6 \end{array}$$

⓳
$$\begin{array}{rccc} & 3 & 10 & \\ & \not{4} & 0 & 7 \\ - & 1 & 6 & 2 \\ \hline & 2 & 4 & 5 \end{array}$$

⓴
$$\begin{array}{rccc} & 6 & 17 & 10 \\ & \not{7} & \not{8} & 2 \\ - & 5 & 9 & 4 \\ \hline & 1 & 8 & 8 \end{array}$$

40~45쪽 특강 창의 · 융합 · 코딩

융합 1 245, 723 ; 245, 182, 427

융합 2 238, 119

창의 3 (왼쪽에서부터) 218, 278, 378 ; 378

창의 4 (왼쪽에서부터) 320, 520, 550 ; 320

융합 5 555, 273

융합 6 604

코딩 7 160, 810

융합 8 1140

창의 9 ㉡

융합 1 • 나비: 478마리, 매미: 245마리

⇨ 478+245=723(마리)

• 매미: 245마리, 풍뎅이: 182마리

⇨ 245+182=427(마리)

융합 2
$$\begin{array}{rccc} & & 4 & 10 \\ & 3 & \not{5} & 7 \\ - & 2 & 3 & 8 \\ \hline & 1 & 1 & 9 \end{array}$$(석)

창의 3 213+5=218, 218+60=278,

278+100=378

⇨ 213+165=378

창의 4 557−7=550, 550−30=520,

520−200=320

⇨ 557−237=320

융합 5 부르즈 할리파의 높이: 828 m

롯데월드 타워의 높이: 555 m

⇨ 828−555=273 (m)

융합 6 (플라스틱의 수)+(페트의 수)

=329+275=604(개)

코딩 7

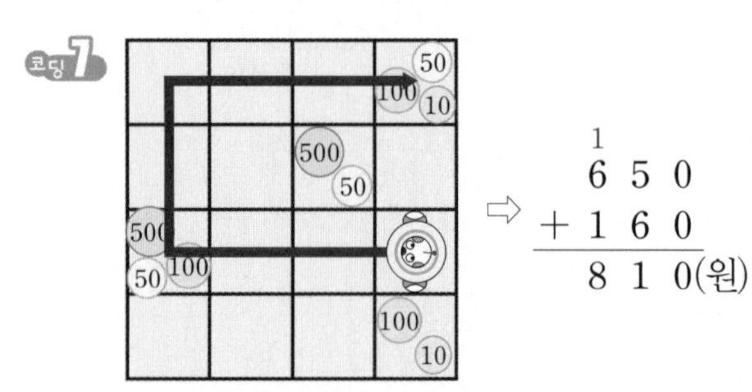

$$\begin{array}{rccc} & 1 & & \\ & 6 & 5 & 0 \\ + & 1 & 6 & 0 \\ \hline & 8 & 1 & 0 \end{array}$$(원)

융합 8 (4월 20일에 남은 돈)

=(4월 19일에 남은 돈)

+(4월 20일에 들어온 돈)

=360+780=1140(원)

창의 9 ㉠ 945−198=747 (m)

㉡ 578+161=739 (m)

⇨ 747>739이므로 상윤이가 건너야 할 다리는 길이가 더 짧은 ㉡입니다.

2주 나눗셈, 곱셈 (1)

48~49쪽 이번에 배울 내용을 알아볼까요? ②

1-1 6, 6 ; 48, 6, 48 **1-2** 9, 9 ; 54, 9, 54
2-1 8 **2-2** 30
2-3 42 **2-4** 63

2-1 4×2는 $2\times4=8$과 같습니다.

2-2 5×6은 $6\times5=30$과 같습니다.

2-3 6×7은 $7\times6=42$와 같습니다.

2-4 9×7은 $7\times9=63$과 같습니다.

51쪽 똑똑한 계산 연습

① 2, 2 ② 3, 3
③ 4, 4 ④ 6
⑤ 6 ⑥ 5, 3
⑦ 72, 9

① (전체 양파의 수)÷(묶음 수)
=(한 묶음의 양파 수)

② (전체 고추의 수)÷(묶음 수)
=(한 묶음의 고추 수)

③ (전체 버섯의 수)÷(묶음 수)
=(한 묶음의 버섯 수)

53쪽 똑똑한 계산 연습

① 3, 3 ② 4, 4
③ 8, 8 ④ 8, 2, 4
⑤ 12, 4, 3 ⑥ 15, 3, 5
⑦ 30, 5, 6

① (전체 멜론 수)÷(한 묶음의 멜론 수)
=(묶음의 수)

② (전체 참외 수)÷(한 묶음의 참외 수)
=(묶음의 수)

③ (전체 배 수)÷(한 묶음의 배 수)
=(묶음의 수)

54~55쪽 기초 집중 연습

1-1 4 **1-2** 5
1-3 7, 3 **1-4** 9, 6
2-1 [56]÷△8△=⑦ **2-2** [16]÷△2△=⑧
2-3 [36]÷△9△=④ **2-4** [40]÷△5△=⑧
2-5 [14]÷△7△=② **3-1** 8
3-2 7 **3-3** 3, 9
3-4 5, 6 **4-1** 4
4-2 8, 7 **4-3** 54, 6, 9
4-4 35, 7, 5

1-1 $12-3-3-3-3=0$
⇨ $12\div3=4$

1-2 $10-2-2-2-2-2=0$
⇨ $10\div2=5$

1-3 $21-7-7-7=0$
⇨ $21\div7=3$

1-4 $54-9-9-9-9-9-9=0$
⇨ $54\div9=6$

3-1 16 cm를 2도막으로 똑같이 나누어 자르면 한 도막은 $16\div2=8$ (cm)입니다.

3-2 42 cm를 6도막으로 똑같이 나누어 자르면 한 도막은 $42\div6=7$ (cm)입니다.

3-3 27 cm를 3도막으로 똑같이 나누어 자르면 한 도막은 $27\div3=9$ (cm)입니다.

3-4 30 cm를 5도막으로 똑같이 나누어 자르면 한 도막은 $30\div5=6$ (cm)입니다.

정답
풀이

4-1 토마토 20개를 5개씩 4번 덜어 내면 0이 되므로 4봉지가 됩니다.
$20-5-5-5-5=0$
⇨ $20\div5=4$

4-2 호박 56개를 8개씩 7번 덜어 내면 0이 되므로 7 상자가 됩니다.
$56-8-8-8-8-8-8-8=0$
⇨ $56\div8=7$

4-3 색연필 54자루를 6명이 똑같이 나누면 한 명이 9 자루씩 가질 수 있습니다.
⇨ $54\div6=9$

4-4 구슬 35개를 7명이 똑같이 나누면 한 명이 5개씩 가질 수 있습니다.
⇨ $35\div7=5$

57쪽 똑똑한 계산 연습

① 7, 14, 7	② 5, 15, 5
③ 4, 16, 4	④ 3, 18, 3
⑤ 4, 20, 4	⑥ 3, 21, 3
⑦ 9, 45, 9	⑧ 8, 32, 8

① 지우개는 2개씩 7묶음이므로 $2\times7=14$입니다.
⇨ 지우개 14개를 2개씩 묶으면 7묶음이므로 $14\div2=7$입니다.

② 병아리는 3마리씩 5묶음이므로 $3\times5=15$입니다.
⇨ 병아리 15마리를 3마리씩 묶으면 5묶음이므로 $15\div3=5$입니다.

③ 아이스크림은 4개씩 4묶음이므로 $4\times4=16$입니다.
⇨ 아이스크림 16개를 4개씩 묶으면 4묶음이므로 $16\div4=4$입니다.

④ 도넛은 6개씩 3묶음이므로 $6\times3=18$입니다.
⇨ 도넛 18개를 6개씩 묶으면 3묶음이므로 $18\div6=3$입니다.

⑤ 물고기는 5마리씩 4묶음이므로 $5\times4=20$입니다.
⇨ 물고기 20마리를 5마리씩 묶으면 4묶음이므로 $20\div5=4$입니다.

⑥ 복숭아는 7개씩 3묶음이므로 $7\times3=21$입니다.
⇨ 복숭아 21개를 7개씩 묶으면 3묶음이므로 $21\div7=3$입니다.

⑦ 방울토마토는 9개씩 5묶음이므로 $9\times5=45$입니다.
⇨ 방울토마토 45개를 9개씩 묶으면 5묶음이므로 $45\div9=5$입니다.

⑧ 땅콩은 8개씩 4묶음이므로 $8\times4=32$입니다.
⇨ 땅콩 32개를 8개씩 묶으면 4묶음이므로 $32\div8=4$입니다.

59쪽 똑똑한 계산 연습

① 5 ; 2	② 4 ; 7
③ 5 ; 5, 6	④ 32, 4 ; 4, 8
⑤ 3 ; 7	⑥ 9 ; 5
⑦ 4 ; 6, 24	⑧ 9, 72 ; 8, 9, 72

①	$2\times5=10$ / $10\div2=5$	$2\times5=10$ / $10\div5=2$
②	$4\times7=28$ / $28\div4=7$	$4\times7=28$ / $28\div7=4$
③	$6\times5=30$ / $30\div6=5$	$6\times5=30$ / $30\div5=6$
④	$8\times4=32$ / $32\div8=4$	$8\times4=32$ / $32\div4=8$
⑤	$21\div3=7$ / $7\times3=21$	$21\div3=7$ / $3\times7=21$
⑥	$45\div5=9$ / $9\times5=45$	$45\div5=9$ / $5\times9=45$

⑦ $24\div4=6$ ⋮ $24\div4=6$
$6\times4=24$ ⋮ $4\times6=24$

⑧ $72\div8=9$ ⋮ $72\div8=9$
$9\times8=72$ ⋮ $8\times9=72$

60~61쪽 기초 집중 연습

1-1 27 ; 27, 9 ; 27, 3 **1-2** 48 ; 48, 6 ; 48, 8
1-3 4 ; 4, 20 ; 4, 20 **1-4** 6 ; 6, 42 ; 6, 42
2-1 12, 3 ; 12, 4
2-2 14, 7, 2 ; 14, 2, 7
2-3 18, 6, 3 ; 18, 3, 6
3-1 4, 20 ; 20, 4 ; 20, 4, 5
3-2 6, 24 ; 24, 6 ; 24, 6, 4
4-1 9, 36 ; 9 ; 9, 4 **4-2** 5, 15 ; 5 ; 5

1-1 $3\times9=27$ ⋮ $3\times9=27$
$27\div3=9$ ⋮ $27\div9=3$

1-2 $8\times6=48$ ⋮ $8\times6=48$
$48\div8=6$ ⋮ $48\div6=8$

1-3 $20\div5=4$ ⋮ $20\div5=4$
$4\times5=20$ ⋮ $5\times4=20$

1-4 $42\div7=6$ ⋮ $42\div7=6$
$6\times7=42$ ⋮ $7\times6=42$

3-1 $5\times4=20$ ⋮ $5\times4=20$
$20\div5=4$ ⋮ $20\div4=5$

3-2 $4\times6=24$ ⋮ $4\times6=24$
$24\div4=6$ ⋮ $24\div6=4$

63쪽 똑똑한 계산 연습

① 2 ② 3
③ 7 ④ 4
⑤ 3 ⑥ 6
⑦ 5 ⑧ 8
⑨ 9 ⑩ 4
⑪ 8 ⑫ 7

① $4\times2=8$, $8\div4=$ 2
② $9\times3=27$, $27\div9=$ 3
③ $5\times7=35$, $35\div5=$ 7
④ $3\times4=12$, $12\div3=$ 4
⑤ $6\times3=18$, $18\div6=$ 3
⑥ $7\times6=42$, $42\div7=$ 6
⑦ $8\times5=40$, $40\div8=$ 5
⑧ $9\times8=72$, $72\div9=$ 8
⑨ $6\times9=54$, $54\div6=$ 9
⑩ $8\times4=32$, $32\div8=$ 4
⑪ $7\times8=56$, $56\div7=$ 8
⑫ $2\times7=14$, $14\div2=$ 7

65쪽 똑똑한 계산 연습

① 2, 2 ② 9, 9
③ 3, 3 ④ 7, 7
⑤ 4, 4 ⑥ 8, 8
⑦ 5, 5 ⑧ 6, 6
⑨ 8, 8 ⑩ 2, 2

66~67쪽 기초 집중 연습

1-1 3	**1-2** 7
1-3 6	**1-4** 5
2-1 >	**2-2** =
2-3 >	**2-4** <
2-5 <	**3-1** 9
3-2 8	**3-3** 5
3-4 7	**4-1** 9, 72
4-2 6, 30	**4-3** 7, 14
4-4 4, 16	

1-1 $8\times\boxed{3}=24$
$24\div8=\boxed{3}$

1-2 $2\times\boxed{7}=14$
$14\div2=\boxed{7}$

1-3 $\square\times6=6\times\square=36$
$6\times\boxed{6}=36$
$36\div6=\boxed{6}$

1-4 $\square\times9=9\times\square=45$
$9\times\boxed{5}=45$
$45\div9=\boxed{5}$

2-1 $18\div2=9$ ⇨ $9>8$

2-2 $24\div8=3$ ⇨ $3=3$

2-3 $20\div4=5$ ⇨ $5>4$

2-4 $16\div8=2$ ⇨ $2<4$

2-5 $30\div5=6$ ⇨ $6<7$

3-1 삼각형의 변의 수: 3개
⇨ (삼각형의 한 변의 길이)$=27\div3=9$ (cm)

3-2 사각형의 변의 수: 4개
⇨ (사각형의 한 변의 길이)$=32\div4=8$ (cm)

3-3 오각형의 변의 수: 5개
⇨ (오각형의 한 변의 길이)$=25\div5=5$ (cm)

3-4 육각형의 변의 수: 6개
⇨ (육각형의 한 변의 길이)$=42\div6=7$ (cm)

4-1 나누는 수인 8의 단 곱셈구구를 이용합니다.

4-2 나누는 수인 5의 단 곱셈구구를 이용합니다.

4-3 나누는 수인 2의 단 곱셈구구를 이용합니다.

69쪽 똑똑한 계산 연습

① 40	② 90
③ 6, 6	④ 8, 8
⑤ 5, 5	⑥ 8, 8
⑦ 90	⑧ 60
⑨ 80	⑩ 80
⑪ 60	⑫ 40

71쪽 똑똑한 계산 연습

① 250	② 120
③ 12 ; 12	④ 63 ; 63
⑤ 18 ; 18	⑥ 25 ; 25
⑦ 240	⑧ 240
⑨ 270	⑩ 180
⑪ 420	⑫ 280

72~73쪽 기초 집중 연습

1-1 80	**1-2** 90
1-3 480	**1-4** 560
2-1 3	**2-2** 2
2-3 6	**2-4** 5
2-5 3	**3-1** 60
3-2 80	**3-3** 180
3-4 450	**4-1** 70
4-2 20, 80	**4-3** 60, 8, 480
4-4 30, 5, 150	

1-1 $2\times4=8$ ⇨ $20\times4=80$

1-2 $3\times3=9$ ⇨ $30\times3=90$

1-3 $8\times6=48$ ⇨ $80\times6=480$

1-4 $7\times8=56$ ⇨ $70\times8=560$

3-1 20×3=60(마리)

3-2 10×8=80(마리)

3-3 30×6=180(개)

3-4 50×9=450(개)

4-1 10개씩 7판 ⇨ 10×7=70(개)

4-2 20권씩 4묶음 ⇨ 20×4=80(권)

4-3 60개씩 8상자 ⇨ 60×8=480(개)

4-4 30명씩 5모둠 ⇨ 30×5=150(명)

75쪽 똑똑한 계산 연습

① 6, 26
② 6, 96
③ 4, 84
④ 60, 68
⑤ 30, 39
⑥ 40, 48
⑦ 8, 80, 88
⑧ 3, 90, 93
⑨ 9, 90, 99

77쪽 똑똑한 계산 연습

① (위에서부터) 6 ; 8, 6 ; 8
② (위에서부터) 8 ; 4, 8 ; 4
③ (위에서부터) 2 ; 6, 2 ; 6
④ (위에서부터) 4 ; 8, 4 ; 8
⑤ (위에서부터) 8 ; 4, 8 ; 4
⑥ (위에서부터) 2 ; 8, 2 ; 8
⑦ (위에서부터) 6 ; 3, 6 ; 3
⑧ (위에서부터) 8 ; 2, 8 ; 2

78~79쪽 기초 집중 연습

1-1 64
1-2 44
1-3 82
1-4 69

2-1 $\begin{array}{r} 3\ 1 \\ \times\ \ \ 3 \\ \hline 3 \\ 9\ 0 \\ \hline 9\ 3 \end{array}$

2-2 $\begin{array}{r} 1\ 4 \\ \times\ \ \ 2 \\ \hline 8 \\ 2\ 0 \\ \hline 2\ 8 \end{array}$

2-3 $\begin{array}{r} 4\ 2 \\ \times\ \ \ 2 \\ \hline 4 \\ 8\ 0 \\ \hline 8\ 4 \end{array}$

2-4 $\begin{array}{r} 2\ 1 \\ \times\ \ \ 4 \\ \hline 4 \\ 8\ 0 \\ \hline 8\ 4 \end{array}$

2-5 $\begin{array}{r} 3\ 2 \\ \times\ \ \ 3 \\ \hline 6 \\ 9\ 0 \\ \hline 9\ 6 \end{array}$

3-1 12
3-2 2, 24
3-3 12, 3, 36
3-4 12, 4, 48

4-1 28
4-2 21, 2, 42
4-3 32, 3, 96
4-4 11, 7, 77

4-1 14개씩 2상자 ⇨ 14×2=28(개)

4-2 21쪽씩 2일 ⇨ 21×2=42(쪽)

4-3 32개씩 3통 ⇨ 32×3=96(개)

4-4 11살의 7배 ⇨ 11×7=77(살)

80~81쪽 누구나 100점 맞는 TEST

❶ 6
❷ 8
❸ 8
❹ 6
❺ 6
❻ 2
❼ 7
❽ 5
❾ 4
❿ 9
⓫ 60
⓬ 80
⓭ 210
⓮ 360
⓯ 69
⓰ 64
⓱ 86
⓲ 48
⓳ 68
⓴ 84

❶ $5\times6=30$
$30\div5=\boxed{6}$

❷ $6\times8=48$
$48\div6=\boxed{8}$

❸ $7\times8=56$
$56\div7=\boxed{8}$

❹ $4\times6=24$
$24\div4=\boxed{6}$

❺ $9\times6=54$
$54\div9=\boxed{6}$

❻ $8\times2=16$
$16\div8=\boxed{2}$

❼ $2\times7=14$
$14\div2=\boxed{7}$

❽ $3\times5=15$
$15\div3=\boxed{5}$

❾ $7\times4=28$
$28\div7=\boxed{4}$

❿ $9\times9=81$
$81\div9=\boxed{9}$

⑪ $1\times6=6$ ⇨ $10\times6=60$

⑫ $2\times4=8$ ⇨ $20\times4=80$

⑬ $3\times7=21$ ⇨ $30\times7=210$

⑭ $4\times9=36$ ⇨ $40\times9=360$

⑮ 23×3: 9, 60, 69

⑯ 32×2: 4, 60, 64

⑰ 43×2: 6, 80, 86

⑱ 12×4: 8, 40, 48

⑲ 34×2: 8, 60, 68

⑳ 21×4: 4, 80, 84

82~87쪽 특강 창의 · 융합 · 코딩

융합 1 9 ; 9
창의 2 5
융합 3 48
창의 4 ■에 ○표
창의 5 9 ; 9, 99 ; 99
창의 6 54
코딩 7 35
코딩 8 2, 1, 3, 63
코딩 9 2, 1, 4, 84

융합 3 (수현이 오빠의 나이)$=10+2=12$(살)
⇨ (수현이 어머니의 나이)$=12\times4=48$(살)

창의 4 ▲●▲■ 4개의 모양이 되풀이됩니다.
$32\div4=8$이므로 되풀이되는 4개의 모양이 8번 되풀이됩니다.
따라서 32번째에 놓일 모양은 되풀이되는 4개의 모양 중 마지막 모양인 ■입니다.

창의 5 (간격의 수)$=10-1=9$(군데)
⇨ (산책로의 길이)$=9\times11$
$=11\times9=99$ (m)

창의 6 (색 테이프 2장의 길이의 합)
$=32\times2=64$ (cm)
⇨ (색 테이프의 전체 길이)
$=64-10=54$ (cm)

코딩 7 몫이 7인 나눗셈은 $7\div1=7$, $14\div2=7$, $21\div3=7$, $28\div4=7$, $35\div5=7$, $42\div6=7$, $49\div7=7$, $56\div8=7$, $63\div9=7$……입니다.
이 중에서 나누어지는 수와 나누는 수의 차가 30이 되는 경우는 $35-5=30$이므로 ■$=35$입니다.

코딩 8 두 번 곱하는 한 자리 수에 가장 큰 수 3을 쓰고, 2를 두 자리 수의 십의 자리에, 1을 일의 자리에 씁니다.
⇨ $21\times3=63$

코딩 9 두 번 곱하는 한 자리 수에 가장 큰 수 4를 쓰고, 2를 두 자리 수의 십의 자리에, 1을 일의 자리에 씁니다.
⇨ $21\times4=84$

3주 • 곱셈 (2), 길이와 시간

90~91쪽 이번에 배울 내용을 알아볼까요? ②

1-1 280 **1-2** 60
1-3 84 **1-4** 96
2-1 1, 50 **2-2** 3, 80
2-3 6, 8 **2-4** 270
2-5 490 **2-6** 505

93쪽 똑똑한 계산 연습

① 217 ② 255
③ 129 ④ 366
⑤ 108 ⑥ 328
⑦ 276 ⑧ 148
⑨ 129 ⑩ 405
⑪ 216 ⑫ 186
⑬ 168

95쪽 똑똑한 계산 연습

① 70 ② 87
③ 76 ④ 90
⑤ 76 ⑥ 96
⑦ 98 ⑧ 81
⑨ 92 ⑩ 38
⑪ 68 ⑫ 72
⑬ 45

⑧ $$\begin{array}{r} {\scriptstyle 2}\ \ \\ 2\ 7 \\ \times\quad 3 \\ \hline 8\ 1 \end{array}$$

⑨ $$\begin{array}{r} {\scriptstyle 1}\ \ \\ 2\ 3 \\ \times\quad 4 \\ \hline 9\ 2 \end{array}$$

⑩ $$\begin{array}{r} {\scriptstyle 1}\ \ \\ 1\ 9 \\ \times\quad 2 \\ \hline 3\ 8 \end{array}$$

⑪ $$\begin{array}{r} {\scriptstyle 2}\ \ \\ 1\ 7 \\ \times\quad 4 \\ \hline 6\ 8 \end{array}$$

⑫ $$\begin{array}{r} {\scriptstyle 1}\ \ \\ 2\ 4 \\ \times\quad 3 \\ \hline 7\ 2 \end{array}$$

⑬ $$\begin{array}{r} {\scriptstyle 1}\ \ \\ 1\ 5 \\ \times\quad 3 \\ \hline 4\ 5 \end{array}$$

96~97쪽 기초 집중 연습

1-1 204 **1-2** 368
1-3 75 **1-4** 95
2-1 497 **2-2** 168
2-3 80 **2-4** 54
3-1 7, 217 **3-2** 28, 3, 84
3-3 21, 5, 105 **3-4** 12, 8, 96
4-1 4, 168 **4-2** 15, 5, 75

1-3 $$\begin{array}{r} {\scriptstyle 1}\ \ \\ 2\ 5 \\ \times\quad 3 \\ \hline 7\ 5 \end{array}$$

1-4 $$\begin{array}{r} {\scriptstyle 4}\ \ \\ 1\ 9 \\ \times\quad 5 \\ \hline 9\ 5 \end{array}$$

2-3 $$\begin{array}{r} {\scriptstyle 3}\ \ \\ 1\ 6 \\ \times\quad 5 \\ \hline 8\ 0 \end{array}$$

2-4 $$\begin{array}{r} {\scriptstyle 1}\ \ \\ 2\ 7 \\ \times\quad 2 \\ \hline 5\ 4 \end{array}$$

3-2 $$\begin{array}{r} {\scriptstyle 2}\ \ \\ 2\ 8 \\ \times\quad 3 \\ \hline 8\ 4 \end{array}$$

3-4 $$\begin{array}{r} {\scriptstyle 1}\ \ \\ 1\ 2 \\ \times\quad 8 \\ \hline 9\ 6 \end{array}$$

4-1 $$\begin{array}{r} 4\ 2 \\ \times\quad 4 \\ \hline 1\ 6\ 8 \end{array}$$

4-2 $$\begin{array}{r} {\scriptstyle 2}\ \ \\ 1\ 5 \\ \times\quad 5 \\ \hline 7\ 5 \end{array}$$

99쪽 똑똑한 계산 연습

① 2 ; 1, 2, 0 ② 6 ; 4, 8, 3
③ 1 ; 1, 9, 2 ④ 2 ; 1, 8, 0
⑤ 8 ; 1, 7, 1 ⑥ 4 ; 5, 8, 2
⑦ 180 ⑧ 147
⑨ 136 ⑩ 477
⑪ 332 ⑫ 539

⑦ $\begin{array}{r} {\scriptstyle 3} \\ 3\ 6 \\ \times\quad 5 \\ \hline 1\ 8\ 0 \end{array}$

⑧ $\begin{array}{r} {\scriptstyle 2} \\ 4\ 9 \\ \times\quad 3 \\ \hline 1\ 4\ 7 \end{array}$

⑨ $\begin{array}{r} {\scriptstyle 5} \\ 1\ 7 \\ \times\quad 8 \\ \hline 1\ 3\ 6 \end{array}$

⑩ $\begin{array}{r} {\scriptstyle 2} \\ 5\ 3 \\ \times\quad 9 \\ \hline 4\ 7\ 7 \end{array}$

⑪ $\begin{array}{r} {\scriptstyle 1} \\ 8\ 3 \\ \times\quad 4 \\ \hline 3\ 3\ 2 \end{array}$

⑫ $\begin{array}{r} {\scriptstyle 4} \\ 7\ 7 \\ \times\quad 7 \\ \hline 5\ 3\ 9 \end{array}$

101쪽 똑똑한 계산 연습

① 28, 108	② 54, 414
③ 14, 504	④ 15, 215
⑤ 304	⑥ 440
⑦ 228	⑧ 175
⑨ 190	⑩ 352
⑪ 272	⑫ 492
⑬ 385	

⑤ $38\times8=240+64=304$

⑥ $55\times8=400+40=440$

⑦ $76\times3=210+18=228$

⑧ $35\times5=150+25=175$

⑨ $95\times2=180+10=190$

⑩ $44\times8=320+32=352$

⑪ $68\times4=240+32=272$

⑫ $82\times6=480+12=492$

102~103쪽 기초 집중 연습

1-1 201	**1-2** 342
1-3 118	**1-4** 438
2-1 256	**2-2** 232
2-3 510	**2-4** 528
3-1 6, 456	**3-2** 93, 4, 372
3-3 14, 9, 126	**3-4** 34, 8, 272
4-1 55, 6, 330	**4-2** 23, 8, 184

1-2 $\begin{array}{r} {\scriptstyle 7} \\ 3\ 8 \\ \times\quad 9 \\ \hline 3\ 4\ 2 \end{array}$

1-4 $\begin{array}{r} {\scriptstyle 1} \\ 7\ 3 \\ \times\quad 6 \\ \hline 4\ 3\ 8 \end{array}$

2-2 $\begin{array}{r} {\scriptstyle 7} \\ 2\ 9 \\ \times\quad 8 \\ \hline 2\ 3\ 2 \end{array}$

2-4 $\begin{array}{r} {\scriptstyle 4} \\ 6\ 6 \\ \times\quad 8 \\ \hline 5\ 2\ 8 \end{array}$

3-1 $\begin{array}{r} {\scriptstyle 3} \\ 7\ 6 \\ \times\quad 6 \\ \hline 4\ 5\ 6 \end{array}$

3-2 $\begin{array}{r} {\scriptstyle 1} \\ 9\ 3 \\ \times\quad 4 \\ \hline 3\ 7\ 2 \end{array}$

3-3 $\begin{array}{r} {\scriptstyle 3} \\ 1\ 4 \\ \times\quad 9 \\ \hline 1\ 2\ 6 \end{array}$

3-4 $\begin{array}{r} {\scriptstyle 3} \\ 3\ 4 \\ \times\quad 8 \\ \hline 2\ 7\ 2 \end{array}$

4-1 $\begin{array}{r} {\scriptstyle 3} \\ 5\ 5 \\ \times\quad 6 \\ \hline 3\ 3\ 0 \end{array}$

4-2 $\begin{array}{r} {\scriptstyle 2} \\ 2\ 3 \\ \times\quad 8 \\ \hline 1\ 8\ 4 \end{array}$

105쪽 똑똑한 계산 연습

① 10, 15	② 50, 52
③ 95	④ 29
⑤ 63	⑥ 71
⑦ 20, 2	⑧ 40, 9 ; 4, 9
⑨ 7, 6	⑩ 6, 4
⑪ 8, 3	⑫ 5, 8

④ 2 cm 9 mm＝20 mm＋9 mm＝29 mm

⑤ 6 cm 3 mm＝60 mm＋3 mm＝63 mm

⑨ 76 mm=70 mm+6 mm=7 cm 6 mm

⑩ 64 mm=60 mm+4 mm=6 cm 4 mm

⑪ 83 mm=80 mm+3 mm=8 cm 3 mm

⑫ 58 mm=50 mm+8 mm=5 cm 8 mm

107쪽 똑똑한 계산 연습

① 1000 ; 1700	② 3000 ; 3900
③ 5370	④ 9150
⑤ 8020	⑥ 4080
⑦ 2000 ; 2, 300	⑧ 3000 ; 3, 600
⑨ 6, 130	⑩ 4, 290
⑪ 5, 90	⑫ 7, 50

④ 9 km 150 m=9000 m+150 m=9150 m

⑤ 8 km 20 m=8000 m+20 m=8020 m

⑥ 4 km 80 m=4000 m+80 m=4080 m

⑩ 4290 m=4000 m+290 m=4 km 290 m

⑪ 5090 m=5000 m+90 m=5 km 90 m

⑫ 7050 m=7000 m+50 m=7 km 50 m

108~109쪽 기초 집중 연습

1-1 <	1-2 <
1-3 >	1-4 >
1-5 >	1-6 >
1-7 <	1-8 =
2-1	2-2
3-1 3, 500	3-2 2, 700
3-3 1, 950	3-4 2, 30
4-1 49	4-2 74
4-3 4150	4-4 6090

1-3 12 cm 5 mm=125 mm
⇨ 125 mm>30 mm이므로
12 cm 5 mm>30 mm입니다.

1-4 120 mm=12 cm
⇨ 12 cm>10 cm 2 mm이므로
120 mm>10 cm 2 mm입니다.

1-6 7300 m=7 km 300 m
⇨ 7 km 300 m>7 km 30 m이므로
7300 m>7 km 30 m입니다.

1-7 9 km 90 m=9090 m
⇨ 9090 m<9100 m이므로
9 km 90 m<9100 m입니다.

2-1 3 cm 8 mm=30 mm+8 mm=38 mm
8 cm 3 mm=80 mm+3 mm=83 mm

2-2 5 km 500 m=5000 m+500 m=5500 m
5 km 50 m=5000 m+50 m=5050 m

3-2 2700 m=2000 m+700 m
=2 km 700 m

3-3 1950 m=1000 m+950 m
=1 km 950 m

3-4 2030 m=2000 m+30 m
=2 km 30 m

4-2 7 cm 4 mm=70 mm+4 mm
=74 mm

4-4 6 km 90 m=6000 m+90 m
=6090 m

111쪽 똑똑한 계산 연습

① 1, 40	② 8, 20
③ 55, 35	④ 35, 15
⑤ 4, 17, 5	⑥ 11, 15, 45
⑦ 4, 40, 28	⑧ 7, 35, 17

② 초바늘이 4를 가리키면 20초를 나타냅니다.
⇨ 8시 30분 20초

⑥ 초바늘이 9를 가리키면 45초를 나타냅니다.
⇨ 11시 15분 45초

⑦ 초바늘이 5에서 작은 눈금 3칸을 더 지났으므로 28초를 나타냅니다. ⇨ 4시 40분 28초

⑧ 초바늘이 3에서 작은 눈금 2칸을 더 지났으므로 17초를 나타냅니다. ⇨ 7시 35분 17초

113쪽 똑똑한 계산 연습

① 60, 110	② 180, 190
③ 150	④ 260
⑤ 230	⑥ 340
⑦ 35 ; 1, 35	⑧ 120, 30 ; 2, 30
⑨ 3, 20	⑩ 5, 10
⑪ 7, 10	⑫ 8, 20

③ 2분 30초=120초+30초=150초

④ 4분 20초=240초+20초=260초

⑤ 3분 50초=180초+50초=230초

⑥ 5분 40초=300초+40초=340초

⑨ 200초=180초+20초=3분 20초

⑩ 310초=300초+10초=5분 10초

⑪ 430초=420초+10초=7분 10초

⑫ 500초=480초+20초=8분 20초

114~115쪽 기초 집중 연습

1-1 ( )(○)	**1-2** ( )(○)
1-3 (○)( )	**1-4** (○)( )
1-5 (○)( )	**1-6** (○)( )
2-1	**2-2**

3 (위에서부터) 5, 50, 3, 10 ; 390, 250

4-1 130	**4-2** 285
4-3 3, 40	**4-4** 5, 15

1-3 3분 30초=180초+30초=210초
⇨ 210초>200초이므로 3분 30초>200초입니다.

1-4 270초=240초+30초=4분 30초
⇨ 4분 30초>4분이므로 270초>4분입니다.

1-5 4분 20초=240초+20초=260초
⇨ 260초>250초이므로 4분 20초>250초입니다.

1-6 320초=300초+20초=5분 20초
⇨ 5분 20초>3분 50초이므로 320초>3분 50초입니다.

2-1 5분 20초=300초+20초=320초

2-2 220초=180초+40초=3분 40초
280초=240초+40초=4분 40초

3 달걀찜: 6분 30초=360초+30초
=390초
고구마 찌기: 350초=300초+50초
=5분 50초
밥 데우기: 190초=180초+10초
=3분 10초
만두 찌기: 4분 10초=240초+10초
=250초

4-1 2분 10초=120초+10초=130초

4-2 4분 45초=240초+45초=285초

4-3 220초=180초+40초=3분 40초

4-4 315초=300초+15초=5분 15초

117쪽 똑똑한 계산 연습

① 10, 40	② 1 ; 21, 15
③ 6, 45	④ 5, 57, 50
⑤ 1 ; 7, 16	⑥ 1 ; 6, 15, 33

⑦ (위에서부터) 1 ; 5, 53, 15

⑧ 1, 1 ; 7, 6, 35

119쪽 똑똑한 계산 연습

① 6, 30
② 22 ; 14, 50
③ 5, 15
④ 9, 23, 25
⑤ 4 ; 3, 45
⑥ 44 ; 3, 14, 45
⑦ (위에서부터) 49 ; 3, 32, 25
⑧ 9 ; 7, 35, 25

120~121쪽 기초 집중 연습

1-1 6, 5, 40	**1-2** 6, 41, 10
1-3 32, 10	**1-4** 5, 20, 25
2-1 2, 50, 40	**2-2** 7, 15, 30
2-3 3, 13, 10	**2-4** 2, 35, 25
3-1 4, 52, 15	**3-2** 2, 49, 25
3-3 3, 9, 35	**3-4** 4, 32, 5
4-1 1, 28, 5, 10	**4-2** 4, 45, 2, 25

1-2
```
        1
  2시    30분 25초
+ 4시간 10분 45초
-----------------
  6시    41분 10초
```

1-4
```
  9      60
  10시   10분 40초
-  4시   50분 15초
-----------------
   5시간 20분 25초
```

2-2
```
  1
  5시    40분  5초
+ 1시간 35분 25초
-----------------
  7시    15분 30초
```

2-4
```
  10     60
  11시   10분 40초
-  8시   35분 15초
-----------------
   2시간 35분 25초
```

3-1
```
          1
  2시간 10분 40초
+ 2시간 41분 35초
-----------------
  4시간 52분 15초
```

3-2
```
  1       1
  1시간 50분 30초
+        58분 55초
-----------------
  2시간 49분 25초
```

3-3
```
  1       1
  2시간 10분 40초
+        58분 55초
-----------------
  3시간  9분 35초
```

3-4
```
  1       1
  2시간 41분 35초
+ 1시간 50분 30초
-----------------
  4시간 32분  5초
```

4-1
```
  1
  3시    42분
+ 1시간 28분
------------
  5시    10분
```

4-2
```
  6      60
  7시    10분
- 4시    45분
------------
  2시간 25분
```

122~123쪽 누구나 100점 맞는 TEST

❶ 106	❷ 249
❸ 85	❹ 84
❺ 450	❻ 235
❼ 31	❽ 7, 2
❾ 5250	❿ 9, 40
⓫ 140	⓬ 225
⓭ 3, 10	⓮ 5, 5
⓯ 19, 55	⓰ 4, 25
⓱ 6, 54, 10	⓲ 14, 15
⓳ 2, 25	⓴ 5, 4, 35

❸
```
   3
   1 7
×    5
------
   8 5
```

❹
```
   2
   2 8
×    3
------
   8 4
```

❺
```
   3
   7 5
×    6
------
 4 5 0
```

❻
```
   3
   4 7
×    5
------
 2 3 5
```

❼ 3 cm 1 mm = 30 mm + 1 mm = 31 mm

❽ 72 mm = 70 mm + 2 mm = 7 cm 2 mm

❾ 5 km 250 m = 5000 m + 250 m = 5250 m

❿ 9040 m = 9000 m + 40 m = 9 km 40 m

⓫ 2분 20초 = 120초 + 20초 = 140초

⓬ 3분 45초 = 180초 + 45초 = 225초

정답 풀이

⑬ 190초=180초+10초=3분 10초

⑭ 305초=300초+5초=5분 5초

⑰

	1	
5시	25분	25초
+ 1시간	28분	45초
6시	54분	10초

⑲

5	60
~~6~~시	15분
− 3시간	50분
2시	25분

⑳

	19	60
7시	~~20~~분	20초
− 2시	15분	45초
5시간	4분	35초

124~129쪽 특강 창의 · 융합 · 코딩

융합1 220

융합2 (1) 3, 25, 40 (2) 1, 37, 25

융합3 (위에서부터) 6, 8 ; 7, 2 ; 12, 3 ; 4, 5

융합4 7310, 7420, 4420

융합5 7, 190, 4, 580, 3, 710

창의6 (1) 2, 31, 25 (2) 6, 6, 15
(3) 8, 5, 35 (4) 9, 27, 35

코딩7
시작
오른쪽으로 3 칸 가기 →
(위, (아래))쪽으로 2 칸 가기 ↓
((왼), 오른)쪽으로 2 칸 가기 ←
(위, (아래))쪽으로 2 칸 가기 ↓
곱셈식 쓰기
; 17×6=102

융합1 (4페소의 금액)=55×4=220(원)

융합2 (1) (방콕의 시각)=5시 25분 40초−2시간
=3시 25분 40초
(2) (파리의 시각)=9시 37분 25초−8시간
=1시 37분 25초

융합3 서울 · 경기: 68 mm=60 mm+8 mm
=6 cm 8 mm
대전: 72 mm=70 mm+2 mm
=7 cm 2 mm
광주: 123 mm=120 mm+3 mm
=12 cm 3 mm
부산: 45 mm=40 mm+5 mm
=4 cm 5 mm

융합4 서해대교: 7 km 310 m=7000 m+310 m
=7310 m
광안대교: 7 km 420 m=7000 m+420 m
=7420 m
영종대교: 4 km 420 m=4000 m+420 m
=4420 m

융합5 금정산 터널: 7190 m=7000 m+190 m
=7 km 190 m
가지산 터널: 4580 m=4000 m+580 m
=4 km 580 m
팔공산 터널: 3710 m=3000 m+710 m
=3 km 710 m

창의6 (1)

1	1	
1시	45분	35초
+	45분	50초
2시	31분	25초

(2)

1	1	
4시	10분	30초
+ 1시간	55분	45초
6시	6분	15초

(3)

1		
6시	50분	10초
+ 1시간	15분	25초
8시	5분	35초

(4)

8시	15분	25초
+ 1시간	12분	10초
9시	27분	35초

코딩7

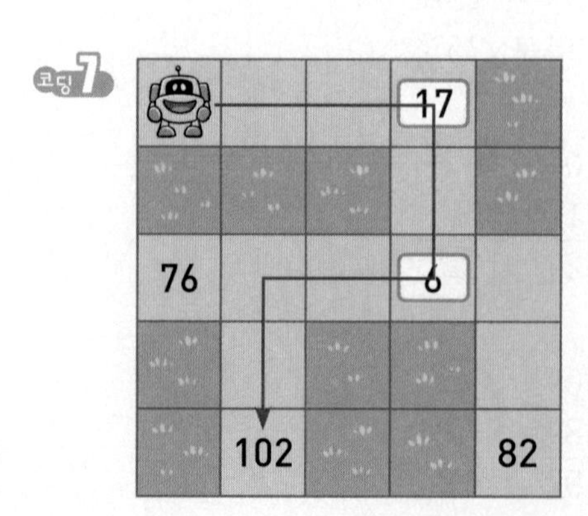

4주 분수와 소수

132~133쪽 이번에 배울 내용을 알아볼까요? ②

1-1 (그림)

1-2 (그림)

1-3 예 (그림)

2-1 20
2-2 19
2-3 16
2-4 65
2-5 3, 6
2-6 7, 1

1-3 (그림), (그림)로 만들 수도 있습니다.

135쪽 똑똑한 계산 연습

① 1, 1 ② 2, $\frac{2}{4}$

③ 4, 3, $\frac{3}{4}$ ④ 5, 3, $\frac{3}{5}$

⑤ 6, 5, $\frac{5}{6}$

① $\frac{(\text{부분의 수})}{(\text{전체의 수})}$ ⇨ $\frac{1}{3}$ ② $\frac{(\text{부분의 수})}{(\text{전체의 수})}$ ⇨ $\frac{2}{4}$

137쪽 똑똑한 계산 연습

① $\frac{1}{2}$ ② $\frac{3}{4}$, $\frac{1}{4}$

③ $\frac{2}{3}$, $\frac{1}{3}$ ④ $\frac{3}{6}$, $\frac{3}{6}$

⑤ $\frac{2}{5}$, $\frac{3}{5}$ ⑥ $\frac{5}{9}$, $\frac{4}{9}$

⑦ $\frac{4}{6}$, $\frac{2}{6}$ ⑧ $\frac{6}{8}$, $\frac{2}{8}$

⑨ $\frac{7}{8}$, $\frac{1}{8}$ ⑩ $\frac{6}{9}$, $\frac{3}{9}$

① • 색칠하지 않은 부분: 전체를 똑같이 2로 나눈 것 중의 1 ⇨ $\frac{1}{2}$

② • 색칠한 부분: 전체를 똑같이 4로 나눈 것 중의 3 ⇨ $\frac{3}{4}$
• 색칠하지 않은 부분: 전체를 똑같이 4로 나눈 것 중의 1 ⇨ $\frac{1}{4}$

③ • 색칠한 부분: 전체를 똑같이 3으로 나눈 것 중의 2 ⇨ $\frac{2}{3}$
• 색칠하지 않은 부분: 전체를 똑같이 3으로 나눈 것 중의 1 ⇨ $\frac{1}{3}$

④ • 색칠한 부분: 전체를 똑같이 6으로 나눈 것 중의 3 ⇨ $\frac{3}{6}$
• 색칠하지 않은 부분: 전체를 똑같이 6으로 나눈 것 중의 3 ⇨ $\frac{3}{6}$

⑤ • 색칠한 부분: 전체를 똑같이 5로 나눈 것 중의 2 ⇨ $\frac{2}{5}$
• 색칠하지 않은 부분: 전체를 똑같이 5로 나눈 것 중의 3 ⇨ $\frac{3}{5}$

⑥ • 색칠한 부분: 전체를 똑같이 9로 나눈 것 중의 5 ⇨ $\frac{5}{9}$
• 색칠하지 않은 부분: 전체를 똑같이 9로 나눈 것 중의 4 ⇨ $\frac{4}{9}$

⑦ • 색칠한 부분: 전체를 똑같이 6으로 나눈 것 중의 4 ⇨ $\frac{4}{6}$
• 색칠하지 않은 부분: 전체를 똑같이 6으로 나눈 것 중의 2 ⇨ $\frac{2}{6}$

⑧ • 색칠한 부분: 전체를 똑같이 8로 나눈 것 중의 6 ⇨ $\frac{6}{8}$
• 색칠하지 않은 부분: 전체를 똑같이 8로 나눈 것 중의 2 ⇨ $\frac{2}{8}$

⑨ • 색칠한 부분: 전체를 똑같이 8로 나눈 것 중의 7 ⇨ $\frac{7}{8}$
• 색칠하지 않은 부분: 전체를 똑같이 8로 나눈 것 중의 1 ⇨ $\frac{1}{8}$

⑩ • 색칠한 부분: 전체를 똑같이 9로 나눈 것 중의 6 ⇨ $\frac{6}{9}$
• 색칠하지 않은 부분: 전체를 똑같이 9로 나눈 것 중의 3 ⇨ $\frac{3}{9}$

138~139쪽 기초 집중 연습

1-1 $\frac{1}{3}$, 3분의 1　　1-2 $\frac{2}{4}$, 4분의 2
1-3 $\frac{2}{5}$, 5분의 2　　1-4 $\frac{3}{8}$, 8분의 3
2-1 예　　2-2 예
2-3 예　　2-4 예
3-1 $\frac{1}{2}$　　3-2 $\frac{1}{4}$
3-3 $\frac{5}{6}$　　3-4 $\frac{5}{8}$
4-1 $\frac{3}{5}$　　4-2 $\frac{4}{9}$
4-3 $\frac{2}{6}$　　4-4 $\frac{7}{8}$

2-1 전체가 똑같이 4로 나누어져 있으므로 3칸을 색칠합니다.

2-2 전체가 똑같이 7로 나누어져 있으므로 2칸을 색칠합니다.

2-3 전체가 똑같이 6으로 나누어져 있으므로 4칸을 색칠합니다.

2-4 전체가 똑같이 8로 나누어져 있으므로 6칸을 색칠합니다.

3-1 전체를 똑같이 2로 나눈 것 중의 1 ⇨ $\frac{1}{2}$

3-2 전체를 똑같이 4로 나눈 것 중의 1 ⇨ $\frac{1}{4}$

3-3 전체를 똑같이 6으로 나눈 것 중의 5 ⇨ $\frac{5}{6}$

3-4 전체를 똑같이 8로 나눈 것 중의 5 ⇨ $\frac{5}{8}$

4-1 전체를 똑같이 5로 나눈 것 중의 3 ⇨ $\frac{3}{5}$

4-2 전체를 똑같이 9로 나눈 것 중의 4 ⇨ $\frac{4}{9}$

4-3 빵 한 개를 똑같이 6조각으로 나눈 것 중의 2조각 ⇨ $\frac{2}{6}$

4-4 색종이 한 장을 똑같이 8조각으로 나눈 것 중의 7조각 ⇨ $\frac{7}{8}$

141쪽 똑똑한 계산 연습

① $<$　　② $>$
③ $>$　　④ $>$
⑤ $<$　　⑥ $>$
⑦ $>$　　⑧ $<$
⑨ $<$　　⑩ $>$

⑤ $5<6$이므로 $\frac{5}{7}<\frac{6}{7}$입니다.

⑥ $7>4$이므로 $\frac{7}{8}>\frac{4}{8}$입니다.

⑦ $4>2$이므로 $\frac{4}{6}>\frac{2}{6}$입니다.

⑧ $2<7$이므로 $\frac{2}{10}<\frac{7}{10}$입니다.

⑨ $3<5$이므로 $\frac{3}{9}<\frac{5}{9}$입니다.

⑩ $8>7$이므로 $\frac{8}{11}>\frac{7}{11}$입니다.

143쪽 똑똑한 계산 연습

① >　② >
③ <　④ >
⑤ <　⑥ <
⑦ <　⑧ >
⑨ >　⑩ <

⑤ $7>6$이므로 $\frac{1}{7}<\frac{1}{6}$입니다.

주의
단위분수는 분모가 작을수록 더 큰 수입니다.
$7>6 \Rightarrow \frac{1}{7}<\frac{1}{6}$
방향이 반대

⑥ $9>5$이므로 $\frac{1}{9}<\frac{1}{5}$입니다.

⑦ $6>2$이므로 $\frac{1}{6}<\frac{1}{2}$입니다.

⑧ $11<12$이므로 $\frac{1}{11}>\frac{1}{12}$입니다.

⑨ $8<10$이므로 $\frac{1}{8}>\frac{1}{10}$입니다.

⑩ $15>12$이므로 $\frac{1}{15}<\frac{1}{12}$입니다.

144~145쪽 기초 집중 연습

1-1 $\frac{4}{5}$에 ○표　1-2 $\frac{6}{7}$에 ○표
1-3 $\frac{8}{10}$에 ○표　1-4 $\frac{1}{2}$에 ○표
1-5 $\frac{1}{4}$에 ○표　1-6 $\frac{1}{9}$에 ○표
2-1 $\frac{2}{6}$　2-2 $\frac{4}{9}$
2-3 $\frac{1}{9}$　2-4 $\frac{1}{11}$
3-1 >, $\frac{1}{3}$　3-2 $\frac{1}{5}$, <
3-3 <, $\frac{3}{4}$　3-4 $\frac{5}{7}$, >
4-1 $\frac{6}{8}$　4-2 $\frac{1}{3}$

1-1 $\frac{2}{5}<\frac{4}{5}$　1-2 $\frac{6}{7}>\frac{3}{7}$

1-3 $\frac{5}{10}<\frac{8}{10}$　1-4 $\frac{1}{2}>\frac{1}{5}$

1-5 $\frac{1}{4}>\frac{1}{7}$　1-6 $\frac{1}{12}<\frac{1}{9}$

2-1 $\frac{5}{6}>\frac{2}{6}$　2-2 $\frac{4}{9}<\frac{8}{9}$

2-3 $\frac{1}{8}>\frac{1}{9}$　2-4 $\frac{1}{10}>\frac{1}{11}$

4-1 5보다 크고 7보다 작은 수는 6이므로 분모가 8인 분수 중 $\frac{5}{8}$보다 크고 $\frac{7}{8}$보다 작은 분수는 $\frac{6}{8}$입니다.

4-2 2보다 크고 4보다 작은 수는 3이므로 분자가 1인 분수 중 $\frac{1}{4}$보다 크고 $\frac{1}{2}$보다 작은 분수는 $\frac{1}{3}$입니다.

147쪽 똑똑한 계산 연습

① 0.2　② 0.5
③ 0.9　④ 0.1
⑤ 0.4　⑥ 0.6
⑦ 0.3　⑧ 0.8
⑨ 0.7　⑩ 0.9

① 전체를 똑같이 10으로 나눈 것 중의 2 ⇨ 0.2

② 전체를 똑같이 10으로 나눈 것 중의 5 ⇨ 0.5

③ 전체를 똑같이 10으로 나눈 것 중의 9 ⇨ 0.9

④ 전체를 똑같이 10으로 나눈 것 중의 1 ⇨ 0.1

⑤ 전체를 똑같이 10으로 나눈 것 중의 4 ⇨ 0.4

⑥ 전체를 똑같이 10으로 나눈 것 중의 6 ⇨ 0.6

⑦ 전체를 똑같이 10으로 나눈 것 중의 3 ⇨ 0.3

⑧ 전체를 똑같이 10으로 나눈 것 중의 8 ⇨ 0.8

⑨ 전체를 똑같이 10으로 나눈 것 중의 7 ⇨ 0.7

⑩ 전체를 똑같이 10으로 나눈 것 중의 9 ⇨ 0.9

149쪽	똑똑한 계산 연습
① 1.3	② 1.7
③ 2.4	④ 2.6
⑤ 1.5	⑥ 2.2
⑦ 2.7	⑧ 1.4
⑨ 3.6	⑩ 3.8

150~151쪽	기초 집중 연습
1-1 $\frac{7}{10}$, 0.7	**1-2** $\frac{6}{10}$, 0.6
1-3 $\frac{5}{10}$, 0.5	**1-4** $\frac{8}{10}$, 0.8
2-1 1.2, 일 점 이	**2-2** 1.8, 일 점 팔
2-3 2.5, 이 점 오	**2-4** 2.7, 이 점 칠
3-1 0.5	**3-2** 0.9
3-3 1.6	**3-4** 2.4
4-1 2.8	**4-2** 5.6
4-3 6.5	**4-4** 4.6

1-1 전체를 똑같이 10으로 나눈 것 중의 7 ⇨ $\frac{7}{10}=0.7$

1-2 전체를 똑같이 10으로 나눈 것 중의 6 ⇨ $\frac{6}{10}=0.6$

1-3 전체를 똑같이 10으로 나눈 것 중의 5 ⇨ $\frac{5}{10}=0.5$

1-4 전체를 똑같이 10으로 나눈 것 중의 8 ⇨ $\frac{8}{10}=0.8$

4-3 6과 0.5만큼이므로 6.5입니다. ⇨ 6.5 cm

4-4 4와 0.6만큼이므로 4.6입니다. ⇨ 4.6 cm

153쪽	똑똑한 계산 연습
① 0.2	② 0.5
③ 1.3	④ 2.1
⑤ 4.5	⑥ 6.8
⑦ 8	⑧ 6
⑨ 14	⑩ 37
⑪ 56	⑫ 74

① 0.1이 ■개인 수 ⇨ 0.■

③ 0.1이 ■●개인 수 ⇨ ■.●

⑦ 0.■ ⇨ 0.1이 ■개인 수

⑨ ■.● ⇨ 0.1이 ■●개인 수

155쪽	똑똑한 계산 연습
① 0.3	② 0.9
③ 0.5	④ 0.8
⑤ 1.1	⑥ 3.8
⑦ 2.6	⑧ 5.7
⑨ 4.3	⑩ 7.2
⑪ 6.5	⑫ 8.9

①~⑫ 참고
1 mm=0.1 cm입니다.

156~157쪽	기초 집중 연습
1-1 0.6, 영 점 육	**1-2** 0.9, 영 점 구
1-3 3.4, 삼 점 사	**1-4** 5.7, 오 점 칠
2-1 ×	**2-2** ×
2-3 ×	**2-4** ×
3-1 4.5	**3-2** 8.2
3-3 9.4	**3-4** 15.3
4-1 0.5	**4-2** 0.8
4-3 3, 5.3	**4-4** 7, 9.7

2-1 3 cm 1 mm=3.1 cm

2-2 6 cm 3 mm=63 mm=6.3 cm

2-3 5 cm 2 mm=52 mm=5.2 cm

2-4 1 cm 5 mm=1.5 cm

159쪽 똑똑한 계산 연습

① $<$	② $>$
③ $>$	④ $>$
⑤ $<$	⑥ $>$
⑦ $>$	⑧ $<$
⑨ $=$	⑩ $>$
⑪ $>$	⑫ $<$

① $0.1<0.3$ ($1<3$)　② $0.5>0.2$ ($5>2$)

③ $0.6>0.4$ ($6>4$)　④ $0.8>0.7$ ($8>7$)

⑤ $0.2<0.7$ ($2<7$)　⑥ $0.9>0.5$ ($9>5$)

⑦ $0.6>0.5$ ($6>5$)　⑧ $0.4<0.9$ ($4<9$)

⑨ 0.1이 3개인 수는 0.3입니다.
⇨ $0.3=0.3$

⑩ 0.1이 4개인 수는 0.4입니다.
⇨ $0.5>0.4$ ($5>4$)

⑪ 0.1이 6개인 수는 0.6입니다.
⇨ $0.8>0.6$ ($8>6$)

⑫ 0.1이 7개인 수는 0.7입니다.
⇨ $0.4<0.7$ ($4<7$)

161쪽 똑똑한 계산 연습

① $>$	② $>$
③ $<$	④ $>$
⑤ $>$	⑥ $<$
⑦ $<$	⑧ $<$
⑨ $<$	⑩ $=$
⑪ $>$	⑫ $<$

① $1.7>1.5$ ($7>5$)　② $2.0>1.8$ ($2>1$)

③ $4.3<4.9$ ($3<9$)　④ $5.1>3.5$ ($5>3$)

⑤ $2.8>2.7$ ($8>7$)　⑥ $5.2<5.3$ ($2<3$)

⑦ $6.0<6.1$ ($0<1$)　⑧ $7.9<8.2$ ($7<8$)

⑨ 0.1이 16개인 수는 1.6입니다.
⇨ $1.2<1.6$ ($2<6$)

⑩ 0.1이 25개인 수는 2.5입니다.
⇨ $2.5=2.5$

⑪ 0.1이 48개인 수는 4.8입니다.
⇨ $5.4>4.8$ ($5>4$)

⑫ 0.1이 64개인 수는 6.4입니다.
⇨ $6.3<6.4$ ($3<4$)

162~163쪽 기초 집중 연습

1-1 0.3	**1-2** 0.8
1-3 1.0	**1-4** 2.7
1-5 4.1	**1-6** 5.5
2-1 1, 2, 3에 ○표	**2-2** 6, 7, 8, 9에 ○표
3-1 (　)(○)	**3-2** (○)(　)
3-3 (○)(　)	**3-4** (　)(○)
4-1 $<$, 0.7	**4-2** $<$, 3.4
4-3 $>$, 빨강 끈	**4-4** $>$, 볼펜

1-1 $0.2<0.3$ ($2<3$)　**1-2** $0.8>0.6$ ($8>6$)

1-3 $1.0>0.9$ ($1>0$)　**1-4** $2.4<2.7$ ($4<7$)

1-5 $3.8<4.1$ ($3<4$)　**1-6** $5.5>5.3$ ($5>3$)

2-1 0.□ $<$ 0.4이려면 □ $<$ 4이어야 합니다.
⇨ □ $=$ 1, 2, 3

정답
풀이

2-2 3.5<3.□이려면 5<□이어야 합니다.
⇨ □=6, 7, 8, 9

3-1 0.9>0.8 (9>8)

3-2 1.8<2.1 (1<2)

3-3 1.3<1.5 (3<5)

3-4 2.6>2.4 (6>4)

4-3 0.4>0.2이므로 더 긴 것은 빨강 끈입니다.

4-4 15.1>14.5이므로 더 짧은 것은 볼펜입니다.

164~165쪽 누구나 100점 맞는 TEST

① $\frac{1}{6}$	② $\frac{3}{5}$	③ $\frac{3}{4}$	④ $\frac{4}{9}$
⑤ 0.5	⑥ 0.7	⑦ 1.2	⑧ 1.6
⑨ 0.9	⑩ 1.4	⑪ 3.2	⑫ 2.7
⑬ 6.4	⑭ 8.1	⑮ >	⑯ <
⑰ <	⑱ <	⑲ <	⑳ >

① 전체를 똑같이 6으로 나눈 것 중의 1 ⇨ $\frac{1}{6}$

② 전체를 똑같이 5로 나눈 것 중의 3 ⇨ $\frac{3}{5}$

③ 전체를 똑같이 4로 나눈 것 중의 3 ⇨ $\frac{3}{4}$

④ 전체를 똑같이 9로 나눈 것 중의 4 ⇨ $\frac{4}{9}$

⑨ 0.1이 ■개인 수 ⇨ 0.■

⑩ 0.1이 ■●개인 수 ⇨ ■.●

⑮ 6>5이므로 $\frac{6}{8}>\frac{5}{8}$입니다.

⑯ 3<7이므로 $\frac{3}{10}<\frac{7}{10}$입니다.

⑰ 5>2이므로 $\frac{1}{5}<\frac{1}{2}$입니다.

⑱ 7>3이므로 $\frac{1}{7}<\frac{1}{3}$입니다.

⑲ 1.6<2.1 (1<2)

⑳ 2.5>2.3 (5>3)

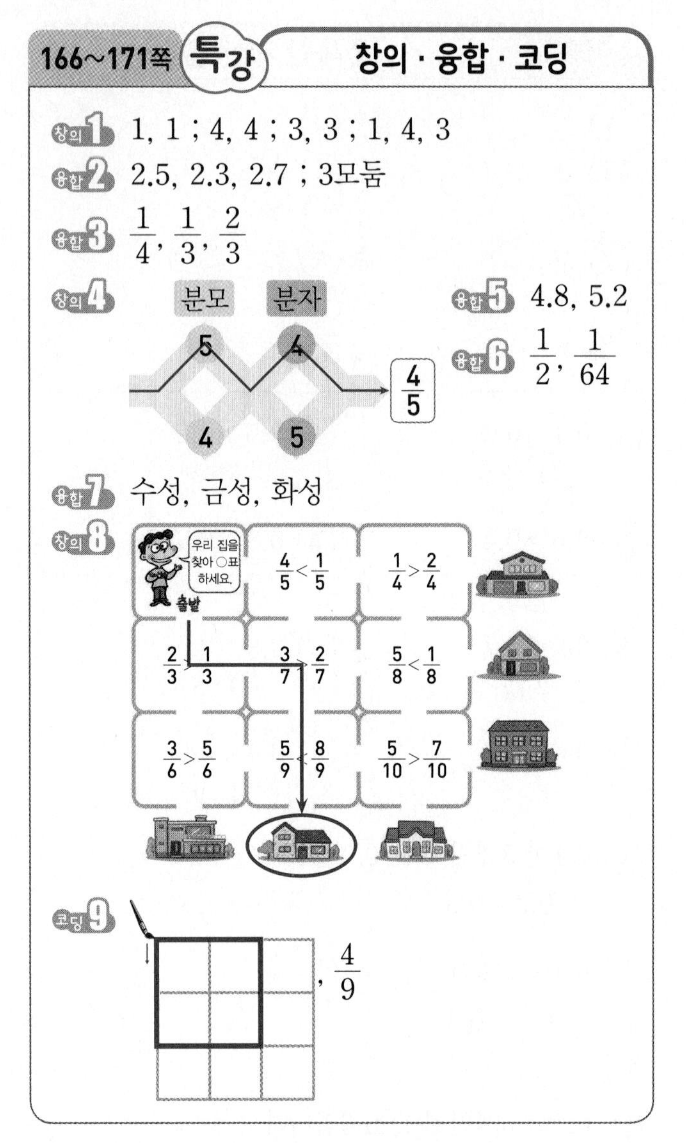

융합2 1모둠: 2와 0.5만큼이므로 2.5통입니다.
2모둠: 2와 0.3만큼이므로 2.3통입니다.
3모둠: 2와 0.7만큼이므로 2.7통입니다.
⇨ 2.7>2.5>2.3이므로 우유를 가장 많이 짠 모둠은 3모둠입니다.

융합6 단위분수는 분모가 작을수록 큰 수이므로 $\frac{1}{2}>\frac{1}{4}>\frac{1}{8}>\frac{1}{16}>\frac{1}{32}>\frac{1}{64}$입니다.
⇨ 가장 큰 수는 $\frac{1}{2}$이고, 가장 작은 수는 $\frac{1}{64}$입니다.

융합7 1보다 작은 수는 0.4, 0.9, 0.5입니다.
⇨ 지구보다 작은 행성은 수성, 금성, 화성입니다.

코딩9 선으로 둘러싸인 부분은 전체를 똑같이 9로 나눈 것 중의 4이므로 $\frac{4}{9}$입니다.

정답은
이 안에
있어!